RANDONNÉES
AUTOUR DU
LAC D'ANNECY

Remerciements à :
- L'Agence Touristique Départementale de Haute-Savoie/Mont-Blanc/Annecy pour son soutien logistique.
- Toute l'équipe de la revue Alpes-Loisirs.
- Dominique Mazelier qui nous a accompagnés sur les chemins aussi souvent qu'elle le pouvait.
- Danielle et Gilles Aussedat au gîte des 4 Vents. Leur connaissance de la région nous a été précieuse.
- Marcel et son épouse au gîte des Fontanettes, Olive, gardien du refuge de Gramusset, Jean-Jacques et Marie-Gabrielle Large au refuge Blonay-Dufour, les sympathiques gardiens du Lindion, Jean-François du chalet de l'Aup (au-dessus de Seythenex) et les nombreux alpagistes qui ont partagé un peu de leur temps avec nous. Merci pour leur accueil chaleureux, leurs anecdotes croustillantes et leur bonne humeur.
- Magali René et Christian Martelet ainsi que Gilbert Gardet, montagnard bien connu à Annecy, que nous avons souvent sollicité.
- Marie et Fanny, nos filles, qui ont participé à certaines de nos randonnées.

Photo de couverture : le lac d'Annecy vu du Roc de Chère en direction des Bauges.

4ᵉ de couverture : au sommet de la Rochette.
Au fond, le bout du lac, la plaine de Doussard et le massif des Bauges.

Toutes les photos sont de Gilles Lansard

www.glenatlivres.com

CATHERINE ET GILLES LANSARD

RANDONNÉES
AUTOUR DU
LAC D'ANNECY

Glénat

Sommaire

*Le premier numéro se rapporte aux numéros
entourés de la carte ci-contre*

Tour de la Sambuy, Tour du lac, Tournette-Aravis

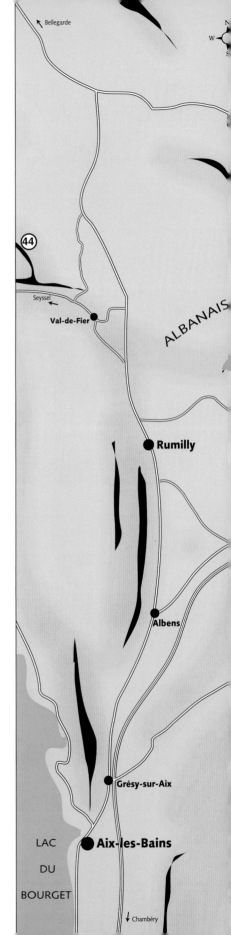

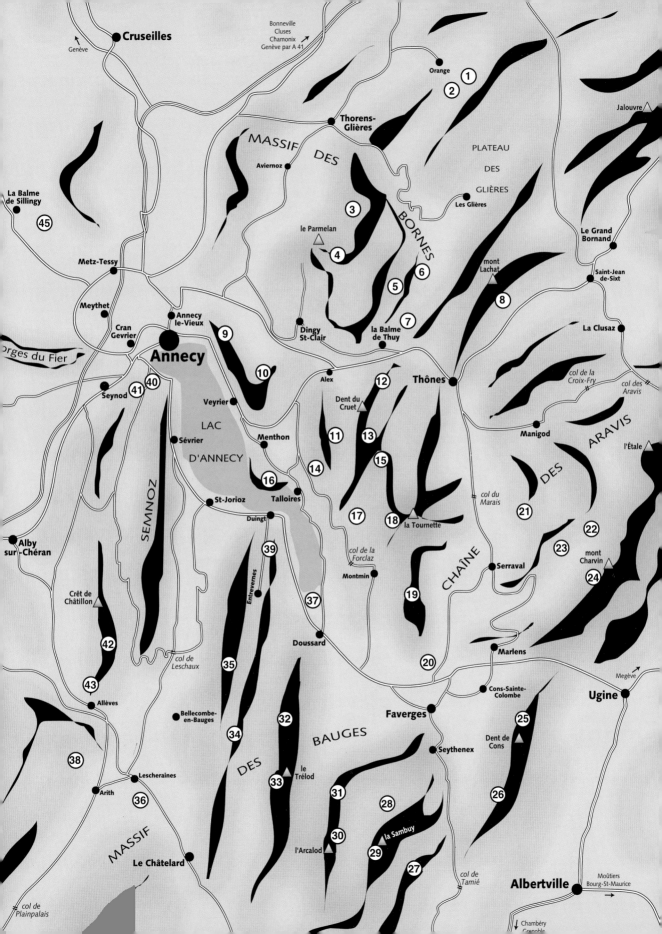

Des personnages passionnants

*Ce n'est pas du plus haut sommet
que le paysage est le plus beau.*

Bien des choses ont déjà été écrites sur le lac
d'Annecy et les montagnes environnantes, mais
nous avons remarqué que les itinéraires des
randonnées proposées étaient souvent les mêmes : de
grandes classiques très belles, mais très fréquentées.
Dans ce livre, nous vous invitons donc à découvrir, en
plus des incontournables, d'autres balades moins connues
et plus calmes, qui vous permettront en outre de
contempler le lac et son écrin de montagnes sous un
nouveau jour.

Au gré de nos randonnées, nous avons rencontré les
gens du pays, fiers de leur petit coin de montagne et
toujours prêts à nous guider pour nous faire découvrir un
endroit sauvage et magnifique, un troupeau de chamois
repéré un peu plus tôt, ou encore nous faire partager leurs
nombreux souvenirs.

Nous avons croisé des bergers parfois âgés, comme
José qui, malgré ses 76 ans, continue à monter chaque
année en alpage aux chalets de l'Aulp Riant, au pied de
la Tournette, et continuera jusqu'à son dernier jour, car
son petit coin de montagne, c'est sa vie.

D'autres ont changé d'existence, mais restent très
attachés à cette montagne qui les a vus grandir. Chaque
fois qu'ils le peuvent, ils reviennent. Ils ont souvent gardé
un chalet qui leur sert de pied à terre et leur permet de
se rapprocher de la nature et de leurs racines. Jacques
Favre-Bon-Vin fait partie de ceux-là, il a gardé les bêtes
en montagne jusqu'à 27 ans et en conserve de merveilleux
souvenirs. Conscient du riche savoir des anciens, il les
questionne souvent pour apprendre comment soigner les
bêtes : quel geste faire, quelles plantes utiliser ? Il a appris
à interpréter les signes de la nature et peut nous dire, par
exemple, que l'hiver serait précoce au changement de
pelage des poulains.

De tels personnages font partie de ces hauteurs. Nous
vous souhaitons d'en rencontrer au gré de vos randonnées,
pour partager leur passion et découvrir, grâce à eux, un
autre visage de la montagne.

Le lac

Avant d'être remarqué et célébré par de nombreux peintres, poètes et écrivains du XIXe siècle, le lac d'Annecy était considéré comme une étendue d'eau aux abords instables et malsains. Les Annéciens lui ont tourné le dos et ont développé leur ville autour du Thiou, déversoir entre le lac et le Fier, rivière avoisinante qui se jette dans le Rhône. Ce canal naturel alimentait de nombreux moulins utilisant l'énergie de la rivière pour actionner forges, tanneries, filatures, fabriques de papier et poteries.

Des eaux pures

Célèbre pour la pureté de ses eaux, le lac d'Annecy est né d'une succession d'érosions glaciaires. Il est composé de deux bassins : le Petit lac (au sud) et le Grand lac (au nord). Il s'étend sur 15 km de long pour un peu plus de 3 km de large. Il n'est pas très profond : 40 m en moyenne (maximum à 82 m), mais il abrite une quinzaine d'espèces de poissons dont certains (truites, lavarets, ombles chevaliers, perches, lottes et brochets) sont recherchés des gourmets.

Réserves naturelles

Le lac possède deux réserves naturelles. La première domine le lac entre Talloires et Menthon Saint-Bernard, au pied des Dents de Lanfon. C'est le Roc de Chère qui sépare symboliquement le Grand lac du Petit. Ce massif rocheux et boisé de 200 hectares héberge une faune d'amphibiens et de reptiles très intéressante (tritons palmés et alpestres, salamandres tachetées, lézards verts et couleuvres d'Esculape). La grande variété du sous-sol explique la diversité floristique du site. On peut y trouver des espèces de type méditerranéen côtoyant des espèces de type boréal.

La seconde réserve occupe le Bout du Lac où s'étend une zone humide et boisée. On y découvre une famille de castors réintroduite sur le site en 1972. La diversité de la flore est également intéressante, en particulier les nombreuses espèces différentes d'orchidées.

Le joyau des Alpes

Véritable petit joyau dans son écrin de verdure, le lac d'Annecy nous offre aujourd'hui un des plus beaux paysages des Alpes. Il sépare le massif des Bornes/Aravis à l'est de celui des Bauges à l'ouest. Le mont Veyrier, le Parmelan, les Dents de Lanfon, le Lanfonnet et la majestueuse Tournette, montagne de prédilection des Annéciens (2 351 m), font face au Semnoz, au Roc des Bœufs, à la montagne du Charbon, à la pointe de l'Arcalod et à la Sambuy, montagnes des Bauges se dressant sur l'autre rive.

De Seynod, la basilique de la Visitation à Annecy, les Dents de Lanfon, le Lanfonnet et la Tournette.

Cygnes au petit matin.

Le lac d'Annecy vu du sommet de la pointe de Chaurionde.

Pour randonner sereinement

En montagne, le risque zéro n'existe pas, même le plus agréable des sentiers peut devenir dangereux et transformer une journée bien commencée en galère. Aussi, voilà quelques conseils qui peuvent vous aider à bien préparer votre journée en montagne et en faire un moment inoubliable.

- La veille du départ, prenez la météo locale (Tél. Haute-Savoie : 08 92 68 02 74 et Savoie : 08 92 68 02 73).

- Au moment de choisir la randonnée, ne surestimez pas vos capacités.

- Sur le terrain, en cas de changement brusque de temps ou dans une situation délicate, il faut savoir renoncer, c'est une preuve de sagesse et de courage.

- Veillez à partir de bonne heure, il est toujours plus agréable de marcher "à la fraîche", et vous aurez plus de chance de rencontrer des animaux.

- Évitez de partir seul et signalez toujours votre destination à votre entourage.

- Tenez compte des balisages et prenez toujours la carte IGN correspondant à votre randonnée.

- Évitez de vous lancer dans ce qui ressemble à un raccourci et qui peut se terminer dans une barre rocheuse.

Ces randonnées en moyenne montagne ne demandent pas un équipement exceptionnel. Une petite corde, une sangle et des mousquetons peuvent être utiles dans certains cas pour faciliter le passage d'une personne sensible au vide ou pour assurer la sécurité d'enfants.

- De bonnes chaussures de randonnées sont toutefois conseillées. Choisir de préférence des chaussures imperméables tenant bien le pied et la cheville, dans lesquelles on se sent bien et dont la semelle est suffisamment crantée pour adhérer correctement au terrain (semelle genre Vibram). Une bonne paire de chaussures peut vous éviter des entorses.

- Les bâtons de marche (deux bâtons) sont devenus un élément important dans la panoplie du parfait randonneur. Ils feraient, paraît-il, économiser jusqu'à 30 % d'énergie. Points d'appui à la montée, ils épargnent nos genoux malmenés à la descente et aident à l'équilibre dans certains passages. Les bâtons télescopiques sont les plus commodes car ils peuvent se plier pour se ranger dans le sac. Si, il y a quelques années, il pouvait vous arriver de croiser un petit malin qui vous signalait, à la vue de vos bâtons, qu'il n'y avait pas de neige, c'est aujourd'hui devenu plus rare, signe que l'habitude est prise.

- Un sac à dos léger et confortable (larges bretelles matelassées, ceinture épaisse et dos ergonomique) d'une trentaine de litres suffit pour une randonnée à la journée.

Prévoir des vêtements légers et fonctionnels : polaire, coupe-vent, poncho pour la pluie, gants. Les tee-shirts en matière moderne sont parfaits : ils ne retiennent pas la transpiration, sèchent très vite et ne donnent pas

Au col situé au pied de l'arête Est du Charvin. À gauche, le lac du Mont-Charvin et, au centre, la Goenne.

Des berges du lac
à Saint-Jorioz,
le mont Veyrier,
le mont Baret, et, au
centre, la falaise
du Roc de Chère.

L'alpage des Gay sous le col de Plan-Bois. Au fond, la Tournette.

cette sensation glaciale à chaque fois que l'on remet son sac sur le dos. Ils offrent un confort indéniable par rapport aux tee-shirts en matière naturelle.

Penser également à prendre les lunettes de soleil, un couteau, de la crème solaire, une trousse à pharmacie, des vivres de course (barres de céréales, pâtes de fruits, pain d'épices…) et de l'eau bien sûr. Si vous avez un téléphone portable (et que vous êtes dans une zone où il passe), sachez que le numéro pour appeler les secours est le 112 où que vous soyez.

Explications des données pour chaque itinéraire

- Accès et départ : pour chaque randonnée, la route d'accès est indiquée depuis Annecy. Le point de départ de la balade correspond à l'endroit où est laissée la voiture. Un croquis explicatif permet une meilleure visualisation du secteur.

- Horaires : ils sont indiqués pour le temps total de marche, arrêts non compris. On a l'habitude de compter une moyenne de 300 à 400 m de dénivelée par heure à la montée et un peu plus à la descente. Il faut prévoir de rajouter les temps d'arrêt. Suivant la nature du terrain et la forme physique des randonneurs, ces horaires peuvent varier et ne donnent qu'un ordre d'idée du temps nécessaire.

- Dénivellation : elle représente la différence d'altitude entre le départ et le point le plus haut de la balade. Elle donne une assez bonne idée de l'effort demandé et détermine si la randonnée proposée est dans nos capacités ou pas. 1 000 m représentent une balade assez conséquente demandant un peu d'entraînement. Il vaut mieux commencer par de courtes dénivelées et augmenter progressivement.

- Niveau : pas facile de déterminer le niveau d'une randonnée de moyenne montagne. Pour certains, un passage pourra paraître aérien ou exposé alors que d'autres n'y verront qu'un sentier sans danger. Les quelques appréciations notées sous cette rubrique sont censées vous donner une idée plus précise des éventuelles difficultés. Les randonnées sont classées en 4 niveaux :

- **Très facile** : plus une balade qu'une randonnée ; la dénivellation est faible ; la distance assez courte ; une paire de baskets suffit et les bâtons sont superflus.

- **Facile** : la randonnée fait moins de 1 000 m de dénivelée et n'est pas trop longue en distance.

- **Moyen** : randonnée "normale" avec environ 1 000 m de dénivelée et/ou plus de 3 heures de marche.

- **Assez difficile** : randonnée comportant des passages délicats, aériens, sur rochers ou des risques de chutes de pierres.

Depuis le col de la
rclaz : Annecy (au fond),
le Roc de Chère
(au centre), Angon
(en bas) et le château
de Duingt (à gauche).

Roche Parnal (1 896 m)

DÉPART : Le Chesnet, terminus de la route.

ACCÈS : depuis Annecy, prendre la N 203 direction la Roche-sur-Foron.
Au col d'Évires, prendre la D 277 jusqu'à Orange puis le Chesnet.

HORAIRE GLOBAL : 4 heures.

DÉNIVELLATION : 725 m

NIVEAU : assez difficile en raison du passage sur la dalle.

CARTE : Top 25 IGN 3430 ET (La Clusaz - Grand Bornand).

Bouquetin mâle.

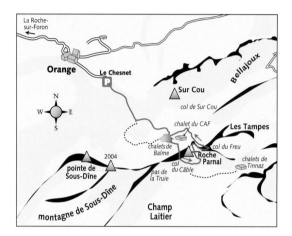

Ce petit rocher entouré de verdure attire les randonneurs avides de sensations. Il peut se gravir par plusieurs faces. Nous vous proposons de monter par le col du Câble et de descendre par le col du Freu. Ce dernier était l'un des passages utilisés pendant la dernière guerre mondiale par les maquisards cachés sur le plateau des Glières. Cette forteresse naturelle difficile d'accès leur servait de lieu d'entraînement. Le col du Freu fut défendu plusieurs fois avec succès contre les attaques allemandes et permis également aux résistants de s'enfuir.

La montée par le col du Câble pimente la balade d'une traversée délicate dans une paroi lisse et exposée sur une cinquantaine de mètres. Il est prudent de franchir ce passage en s'assurant avec une cordelette et un mousqueton. Chamois et bouquetins, nombreux dans le secteur, sont souvent postés non loin et s'amusent certainement de nos maladresses au passage de la dalle.

Le chamois a une vue excellente et un flair incomparable. Contrairement au bouquetin, il est très difficile à approcher et vit généralement en groupe de 4 à 6 individus. En cas de danger il pousse une sorte de chuintement produit par ses narines. Le bouquetin, ce grand cervidé aux cornes imposantes se laisse plus volontiers approcher. Il vit souvent en groupe. Jadis, le bouquetin était chassé pour sa viande et pour ses cornes, lesquels soignaient les coliques. Son sang chaud et frais, mélangé à du persil fermenté, guérissait les fièvres et pouvait dissoudre les calculs. Le *béozard* (pelote de résidus d'herbes et de poils solidifiée dans son estomac) mélangé au poivre, au miel et au vin soignait les déficiences du sang. Mais surtout, la "croix du cœur" (ossification en ébauche de croix des tendons du cœur) était considérée comme un talisman protégeant de la mort.

Le sommet s'atteint facilement, il est aérien et offre un beau panorama sur les montagnes alentour et même au-delà. De retour aux chalets de Balme où paissent de paisibles vaches, une pause à la buvette complète cette journée pleine d'émotions et de paysages magnifiques.

ITINÉRAIRE

Emprunter la piste carrossable qui mène tranquillement jusqu'aux chalets de Balme (1 490 m). Traverser les alpages et rejoindre, vers le chalet du CAF, le sentier bien marqué qui monte sous la falaise et se dirige à droite vers le col du Câble. Pour atteindre ce col, il faut d'abord franchir un court passage un peu acrobatique heureusement équipé de câbles, chaînes et pointes de fer. Poursuivre sur le sentier bien marqué jusqu'au col puis remonter sur la gauche une croupe herbeuse. La sente peu marquée retrouve, sur une antécime, le sentier du col du Freu et conduit en quelques lacets au sommet. Pour le retour, descendre au col du Freu par une combe, puis sous la face Nord de la Roche Parnal après un court passage rocheux. Le chemin traverse sur la gauche et rejoint la crête du col de Sur-Cou puis les alpages de Balme. Suivre ensuite l'itinéraire de montée.

Observations : pour les personnes qui ne se sentiraient pas très à l'aise dans le passage délicat du col du câble, il est tout à fait possible de monter par le chemin proposé à la descente par le col du Freu. Une corde est malgré tout sécurisante dans ce passage aérien.

En montant à la
Roche Parnal,
vue sur la pointe
de Sous-Dîne.

Pointe de Sous-Dîne (2004 m)

DÉPART : parking des Cheneviers, au bout de la route.

ACCÈS : depuis Annecy, prendre la N 203 direction La Roche-sur-Foron. Au Plot, suivre la D 2 jusqu'à Thorens-Glières, puis continuer à gauche sur la D 2 (direction La Roche). Juste avant le col des Fleuries, prendre la route à droite direction Mont-Piton puis à droite la route des Cheneviers.

HORAIRE GLOBAL : 4 heures.

DÉNIVELLATION : 915 m

NIVEAU : moyen.

CARTE : Top 25 IGN 3430 OT (Saint-Julien - Annemasse).

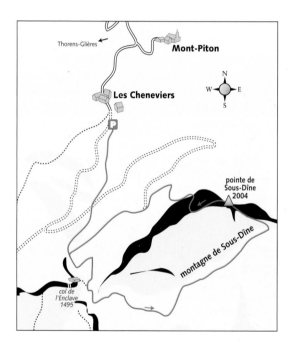

La première partie du chemin emprunté pour cette randonnée fut le théâtre, durant la seconde guerre mondiale, de faits historiques marquants. Les villageois de Mont-Piton l'empruntaient régulièrement pour ravitailler les maquisards cachés dans les alpages de Champ Laitier. Plusieurs batailles se sont déroulées sur ces lieux. En 1944, les maquisards essuyèrent les assauts des miliciens et défendirent leur position avec succès. Quelques jours plus tard, ce furent les Allemands qui les attaquèrent, mais leur parfaite connaissance du terrain leur permit un repli et leur sauva la vie. On appelle ce chemin "le sentier du dernier assaut". Il débute dans la forêt par de bonnes petites

Du sommet de la pointe de Sous-Dîne, vue sur Sur-Cou et sur la Roche Parnal à droite.

grimpettes. Plus haut, de nombreux troupeaux de vaches occupent durant tout l'été les alpages fleuris de Landron et de Champ Laitier. Ce dernier est propice, comme son nom l'indique, à une production laitière abondante et de qualité.

Plus haut, l'herbe devient rare et laisse la place aux lapiaz de calcaire. Marmottes et bouquetins y ont élu domicile et se montrent peu farouches. Le sommet offre un paysage à couper le souffle. Au premier plan se dressent le sommet herbeux de Sur-Cou, la Roche Parnal, la montagne des Frêtes et le Parmelan, derrière lequel se niche le lac d'Annecy. Plus loin se dressent des sommets plus imposants comme la Tournette, le Buet et, bien sûr, le Mont-Blanc. Tout au fond se détachent la masse blanche des Dômes de la Vanoise et le mont Pourri. Au nord, le Jura barre l'horizon.

ITINÉRAIRE

Du parking, continuer tout droit sur la piste qui monte dans la forêt. Un panneau indique la direction "col de l'Enclave". À la patte d'oie, prendre à droite. Un panneau indique "circuit de Sous-Dîne". Traverser une piste forestière carrossable puis, à la bifurcation suivante, suivre le panneau "Sous-Dîne par l'Enclave" et laisser le chemin du retour qui part à gauche (Sous-Dîne par Monthieu). Sortir dans les alpages au-dessus du col d'Enclave. Après le passage d'une barrière qui coupe le chemin, faire une quinzaine de mètres et prendre le sentier sur la gauche. Il se trouve avant le grand panneau de la forêt domaniale de la Haute-Filière. Très agréable, il traverse des pelouses fleuries et des bosquets de sapins et serpente dans un alpage. Au replat, prendre à gauche (balises jaunes).

Environ 10 m avant d'arriver à un second col depuis lequel on peut voir le lac Léman, prendre le sentier qui monte sur la droite et débouche sur un plateau de lapiaz. Le traverser pour atteindre le sommet matérialisé par une croix. Descendre en longeant la falaise à droite. Après environ 150 m, un panneau ("Geneviers par le Monthieu") indique un petit sentier qui descend en longeant la falaise. Il serpente entre les rochers puis traverse un grand pierrier avant de plonger dans la forêt. Au niveau d'un replat, prendre à gauche le chemin qui rejoint celui de la montée (lieu-dit "la Croisée"); le suivre jusqu'au parking.

Observations : quelques raidillons à la montée. Sur le plateau, faire attention à ne pas mettre le pied dans une crevasse de lapiaz. Certains passages sont sur la roche et le sentier est moins visible. Suivre les balises jaunes et les cairns. À la descente, certains passages sont escarpés et les pierres glissantes.

Dans les lapiaz sous le plateau sommital de Sous-Dîne.

Le Parmelan par l'Anglettaz (1832 m)

DÉPART : parking devant le chalet de l'Anglettaz.

ACCÈS : depuis Annecy, prendre la direction de La Roche-sur-Foron (N 203). Environ 4 km après le pont de Brogny, prendre à droite la D 175 jusqu'à Villaz puis la D 5 jusqu'à Aviernoz. Prendre la petite route passant derrière l'église et monter jusqu'au parking de l'Anglettaz.

HORAIRE GLOBAL : 3 h 30

DÉNIVELLATION : 465 m

NIVEAU : facile.

CARTES : Top 25 IGN 3430 OT (Mont Salève).

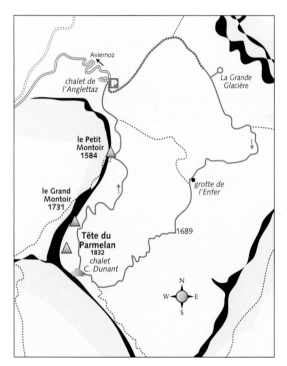

Le fabuleux lapiaz du Parmelan, un véritable océan de pierre.

Cet itinéraire a l'avantage de passer au cœur d'un plateau de lapiaz, dans un univers minéral de toute beauté. Pour certains, c'est un glacier de pierres, pour d'autres un paysage lunaire. Toujours est-il que cet immense plateau blanc ne laisse pas indifférent. Le sentier traversant ce dédale de pierres blanches est très bien balisé de bandes rouges ou bleues et de cairns. Il est donc pratiquement impossible de se perdre, sauf par temps de brouillard. Le refuge semble proche, pourtant le sentier prend un peu de temps pour parcourir au mieux ce chaos de creux et

Rencontre au col de la Foge dans les alpages de l'Anglettaz.

de bosses. Parfois, il emprunte un pont que l'on pourrait croire de neige, enjambant des failles qui inspirent la peur. Plus loin, il escalade un ressaut que l'on imagine sérac prêt à s'écrouler.

La neige n'est pas que virtuelle puisqu'elle habite l'année entière le fond des glacières et des gouffres. Au départ de la randonnée, dès les premiers lapiaz, on peut voir une inscription en rouge sur la pierre indiquant la grande glacière. Des flèches rouges peintes sur le sol conduisent près d'une énorme grotte qui conserve toute l'année dans ses entrailles une couche de glace. Autrefois, les paysans venaient couper cette glace et la transportaient jusqu'à Genève pour vendre des glaçons aux touristes. Plus loin, le sentier passe près de deux grottes. La deuxième, la grotte de l'enfer, laisse voir une langue de glace qui, d'année en année, diminue. Attention, cette langue de glace est un véritable toboggan qui, si vous n'y prenez garde, vous entraînerait dans une chute vertigineuse.

Au sommet de la Tête du Parmelan, le panorama couvre 360°. On découvre les Alpes, le Jura et même les jours les plus clairs, le Vercors.

ITINÉRAIRE

Depuis le chalet prendre la piste qui monte dans les alpages. Il se transforme en un bon sentier qui serpente dans la forêt de pins, épicéas et arolles dans une ambiance méditerranéenne. Peu après les lapiaz de la glacière, il se sépare en deux. Prendre celui de droite qui contourne par la gauche une sorte de bastion rocheux puis passe devant deux énormes grottes. Au croisement suivant, prendre à gauche la direction du Parmelan. Le sentier sort de la forêt et offre un magnifique panorama sur le plateau de lapiaz. Il le longe un moment puis s'engage dedans. Le cheminement est bien marqué, ne pas s'en écarter. Le sentier sort du plateau et monte à droite en direction du refuge et de la croix. Pour le retour, prendre le chemin du petit Montoir qui part derrière le refuge (panneau). Plus loin, suivre à droite la direction l'Anglettaz puis remonter vers le crêt des Outalays où l'on récupère le chemin direct de la grotte du diable. Prendre à gauche le sentier qui rejoint en très peu de temps le chalet de l'Anglettaz.

Observations : attention à ne pas s'éloigner du sentier sur le plateau de lapiaz, il est truffé de gouffres et de failles.

L'eau a sculpté le calcaire, creusant de nombreuses crevasses dont certaines peuvent être très profondes.

Tête du Parmelan

par le col du Pertuis (1 832 m)

DÉPART : parking de la Blonnière.

ACCÈS : sortir d'Annecy par Annecy-le-Vieux. Prendre la D 16 direction Thônes. Au pont Saint-Clair (à gauche), traverser le Fier et continuer sur la D 216. À Dingy-Saint-Clair, prendre à gauche direction la Blonnière et monter jusqu'au terminus de la route.

HORAIRE GLOBAL : 4 h 30

DÉNIVELLATION : 930 m

NIVEAU : moyen.

CARTES : Top 25 IGN 3431 OT (Lac d'Annecy) et 3430 OT (Mont Salève).

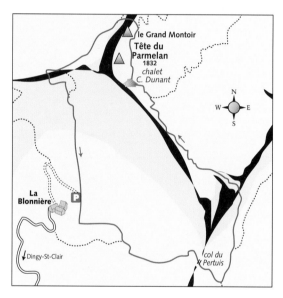

Fernand Basilio, le gardien du refuge C. Dunant.

Le Parmelan est une grande classique des randonneurs annéciens. Il peut se gravir par différents chemins tous aussi beaux les uns que les autres. La randonnée que nous avons choisie n'est pas le plus court, mais a l'avantage d'être moins fréquentée que d'autres. C'est une balade en boucle qui offre un panel varié de paysages splendides. Ici, quelques sapins accrochés aux parois verticales de calcaire, là un pin noueux et tortueux, résistant tant bien que mal depuis plus de deux cents ans au souffle du vent et au poids de la neige. Plus loin, quelques vaches broutant dans l'alpage fleuri parsemé de rochers et sur le plateau, au milieu d'une impressionnante étendue de lapiaz. Cette roche calcaire sculptée par le temps et les éléments est une aubaine pour les spéléologues et un spectacle fabuleux pour les randonneurs. Mais prudence, le plateau du Parmelan est truffé de gouffres et de failles, les crevasses modelées par l'érosion sont de véritables pièges pour les promeneurs, surtout par temps de brouillard.

Une croix érigée au-dessus d'un vide impressionnant marque le sommet de la Tête du Parmelan. De là, la vue est magnifique sur Annecy et son lac que l'on voit apparaître en trois endroits différents. On peut également reconnaître de nombreux sommets des Bauges, Bornes et Aravis et, bien sûr, le Mont-Blanc. Durant toute la montée, des échancrures entre les roches et les sapins offrent des panoramas différents sur les montagnes et le lac. Dans l'alpage après le col du Pertuis, une stèle en pierre est érigée en souvenir d'un garde forestier mort en 1875 à la suite d'une tempête de neige.

ITINÉRAIRE

Prendre le sentier en bas du parking. Il traverse à plat un champ direction sud (alors que les deux autres chemins montent à l'est, directement dans la forêt). Non balisé au départ, il rejoint ensuite une piste dans la forêt (balisage jaune) puis un sentier en lacets. Des marches aménagent

L'enfilade des falaises du Parmelan. Dans le creux, le col du Pertuis.

La descente par le Grand Montoir. Au fond, les collines d'Évires.

les passages les plus escarpés. Après quelques virages dans les rochers, il débouche sur un bel alpage parsemé de rochers, de sapins et de pins. C'est le col du Pertuis (1 565 m). Suivre le sentier qui part sur la gauche, passe près d'une stèle de pierres, puis grimpe jusqu'à un petit cirque qu'il traverse pour monter en face dans un pierrier et sort sur le plateau. S'ensuit une succession de montées et de descentes pour arriver au refuge puis à la croix.

Pour le retour, prendre le large chemin de la voie normale qui part derrière le chalet (un panneau indique la direction). À une intersection, prendre à gauche le Grand Montoir. Le sentier taillé dans la roche est équipé de câbles et de chaînes. Il rejoint celui du Petit Montoir. Continuer à descendre en suivant la direction du chalet Chappuis puis prendre à gauche en direction du parking de la Blonnière (panneau). Une piste forestière descend dans la forêt jusqu'au point de départ.

Observations : attention à la descente du Grand Montoir. Elle est très bien équipée mais la roche est devenue glissante, lustrée par les nombreux passages. Pour les personnes qui craindraient ce passage, il est possible de prendre par le Petit Montoir. Le sentier est indiqué, il contourne la falaise. Ce parcours sans danger est plus long mais offre également de très jolis paysages (balisage jaune jusqu'au refuge). Des panneaux de bois indiquent ensuite les changements de direction.

Autour de la Tête Ronde

par le col de la Bourse (1 664 m)

DÉPART : parking à la Balme de Thuy, à gauche après la mairie.

ACCÈS : sortir d'Annecy par Annecy-le-Vieux. Prendre la D 16 direction Thônes. Au pont Saint-Claire (à gauche), traverser le Fier et continuer sur la D 216. Passer Dingy-Saint-Clair et continuer jusqu'à la Balme de Thuy.

HORAIRE GLOBAL : 6 heures.

DÉNIVELLATION : 1 250 m

NIVEAU : assez difficile (passage équipé de chaîne) et surtout beaucoup de longueurs.

CARTES : Top 25 IGN 3431 OT (Lac d'Annecy) et 3430 ET (La Clusaz - Grand Bornand).

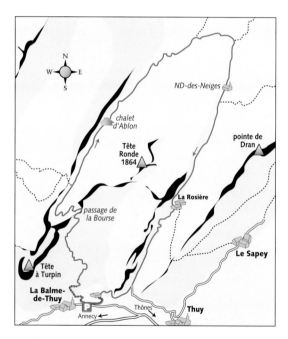

Sur le plateau des Glières, au sommet de la combe d'Ablon. Au fond, la Tournette, la Dent du Cruet et les Dents de Lanfon.

U n peu de courage pour cette belle randonnée très diversifiée. Certes, la petite grimpette (76 m de dénivelée) sur la route goudronnée pour débuter n'est pas ce qu'il y a de mieux, mais vous oublierez vite ce petit désagrément devant la beauté du vallon d'Ablon, combe verdoyante qui sépare le Parmelan des Glières. Ici, une herbe grasse parsemée d'une multitude de fleurs sauvages nourrit un beau troupeau de vaches.

Au chalet d'Ablon, on peut acheter tommes et reblochons fabriqués à l'alpage. Le chalet propose des repas et le gîte pour la nuit. C'est un endroit très fréquenté

par les grimpeurs, car de nombreux sites d'escalade sont équipés tout le long des falaises bordant les gorges d'Ablon. Au bout du vallon, la vue est magnifique sur la Dent du Cruet, les Dents de Lanfon, la Tournette au premier plan puis au fond, la Sambuy, le Trélod, Chaurionde et le Charvin.

À droite, un trou énorme dans la falaise marque l'entrée de la grotte Richarme. Avant d'arriver au col, le sentier quitte la forêt pour se faufiler sur une écharpe rocheuse assez vertigineuse, mais la présence rassurante d'une chaîne tout le long de ce passage, ainsi qu'un bon rocher aux prises bien marquées, rendent l'aventure plutôt ludique. La descente tranquille sur le plateau des Glières est agrémentée du tintement ininterrompu des cloches des nombreux troupeaux.

Le chalet d'alpage de la Rosière se situe au pied d'une falaise, en bordure de forêt. L'endroit est magnifique, une eau fraîche et claire sort du bassin appuyé à la façade du chalet. Tout autour, un alpage accueillant incite à un moment de détente, assis contre un rocher à regarder le spectacle reposant des vaches en train de ruminer.

ITINÉRAIRE

Prendre la petite route qui monte à gauche juste avant le parking. Elle se termine en chemin de terre et plonge dans les sous-bois. Continuer sur le chemin principal. Au carrefour suivant, se fier au panneau indiquant le col de la Bourse. On trouve plusieurs croisements de chemins, mais chaque fois, un panneau indique la direction. Le chemin devient sentier. Il monte dans la forêt, longe un pierrier sur quelques mètres puis le traverse. Après un second pierrier, un panneau de bois indique le passage délicat de la Bourse. Remonter l'écharpe rocheuse en s'aidant de la chaîne puis traverser une agréable forêt pour arriver au col de la Bourse qui domine le vallon d'Ablon.

Le sentier descend au fond du vallon. Passer à droite du chalet d'Ablon et descendre jusqu'à une intersection. Prendre la route forestière de droite qui monte en direction de Dran. Suivre la piste qui monte à droite au-dessus du parking et garder la direction (à droite) de la chapelle Notre-Dame-des-Neiges. De là suivre les panneaux indiquant "nécropole de Morette". La piste (GR 96) longe les alpages du plateau des Glières, passe devant le chalet d'alpage de la Rosière puis descend dans la forêt jusqu'à Nant-Debout.

Juste avant le ruisseau, quitter le chemin pour celui de droite direction "belvédère de la Fenêtre". Lorsque le sentier rejoint le chemin qui monte au Seitay, le descendre sur quelques mètres et emprunter la première sente sur la droite. Elle passe vers le château et retrouve une route goudronnée qui remonte à la Balme de Thuy.

Le chalet et les falaises de la Rosière, haut lieu de l'escalade locale.

Observations : cette jolie randonnée est cotée assez difficile en raison de sa longueur, de son importante dénivellation et du passage un peu dangereux sous le

col de la Bourse. Jusqu'au vallon d'Ablon, le chemin est balisé de bandes jaunes peu nombreuses, mais des panneaux de bois indiquent les changements de direction. Après le parking de Dran, vous êtes sur le GR 96 balisé en blanc et rouge ainsi que sur le GR "Tournette Aravis" balisé jaune et rouge.

Pointe de la Québlette (1915 m)

DÉPART : au Crêt, un terre-plein sur la droite fait office de parking.

ACCÈS : depuis Annecy, prendre la D 909 jusqu'au niveau des usines Mobalpa puis une route à gauche direction Thuy. Dans le village, juste avant un pont et la chapelle, prendre une route à gauche direction le Sapey. Aller jusqu'au terminus de la route.

HORAIRE GLOBAL : 4 heures.

DÉNIVELLATION : 950 m

NIVEAU : moyen.

CARTE : Top 25 IGN 3430 ET (La Clusaz - Grand Bornand).

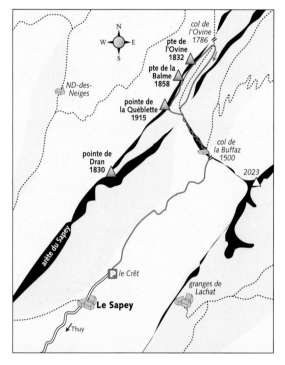

Au retour, après la descente qui longe la crête et rejoint le chemin principal, il est recommandé de prendre à gauche et de monter en cinq minutes jusqu'au col de l'Ovine pour profiter un peu mieux de la belle vue sur le plateau des Glières et sur la pointe de Puvat qui se dresse sous notre nez.

ITINÉRAIRE

Prendre le chemin forestier qui part derrière le chalet neuf. À la sortie de la forêt, suivre le chemin de droite. Un panneau de bois indique la direction du col de la Buffaz. Le chemin descend sur quelques mètres, traverse un ruisseau et remonte dans les alpages. La pente est assez soutenue. Passer entre les deux petits chalets du Suet et continuer sur cette piste toujours raide jusqu'au col de la Buffaz. Monter dans la pente herbeuse derrière le chalet de la Buffaz. Le sentier en lacets rejoint le chalet de l'Ovine que l'on aperçoit depuis le sommet de la pente herbeuse. À ce niveau, quitter le bon sentier qui mène au col de l'Ovine et se diriger vers le pierrier situé à gauche de la croupe herbeuse qui domine le chalet. Le remonter pratiquement jusqu'à sa naissance, puis prendre la sente qui le traverse vers la gauche et permet d'atteindre le sommet de la croupe très facilement. Suivre celle-ci jusqu'au sommet qui n'est plus qu'à quelques mètres (pas de sentiers). Pour le retour, emprunter le sentier qui part au nord, longe la crête et rejoint dans une pente douce le chemin qui mène au col de l'Ovine. Retour par ce chemin bien tracé qui descend vers le chalet de l'Ovine.

Observations : cette randonnée ne présente aucune difficulté technique mais demande un peu d'attention, car les moutons sont si nombreux sur cette montagne qu'ils ont créé un peu partout des sentes que l'on pourrait prendre pour des chemins et qui disparaissent soudainement.

À partir du chalet de l'Ovine, le chemin qui mène à la pointe de la Québlette n'est pas marqué. En suivant nos indications et en restant vigilant sur les pentes herbeuses, il n'y a aucun problème.

C ette randonnée nous plonge au cœur des alpages, lieu d'estive pour plusieurs milliers de moutons qui viennent chaque année dans ce lieu paisible brouter avec avidité une herbe grasse et parfumée. Les falaises blanches du Sapey dominent le chemin sur la gauche. À droite, au niveau du col de la Buffaz, la vue plonge sur la vallée du Petit Bornand. Derrière nous, se dresse le Lachat de Thônes. Les pentes de la Québlette que nous gravissons offrent un aspect débonnaire, mais, arrivé au sommet, on constate que son versant opposé est tout autre et que le terme de "pointe" est pleinement justifié. De ce côté-là, le panorama s'ouvre sur le plateau des Glières d'où nous parvient le joyeux carillon des troupeaux en alpage.

Au-dessus du col de la Buffaz. Dans les brumes, le mont Lachat.

Petite cascade sur le nant de Thuy.

Circuit des cascades (765 m)

DÉPART : parking à gauche après le café du pont de Morette.

ACCÈS : depuis Annecy, suivre la D 909 jusqu'au pont de Morette. Prendre la route à gauche tout de suite après le pont en direction de la Balme de Thuy. Se garer à gauche après le café de Morette.

HORAIRE GLOBAL : 2 heures.

DÉNIVELLATION : 200 m

NIVEAU : très facile.

CARTE : Top 25 IGN 3431 OT (Lac d'Annecy).

Pointe de lance en os.

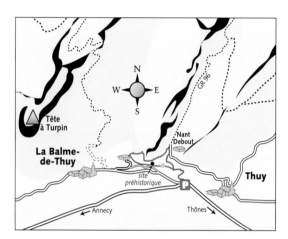

Ce circuit allie le plaisir de la marche en sous-bois, la rencontre rafraîchissante des cascades et le ravissement d'un sentier en balcon à la découverte d'un site préhistorique.

Ce dernier, protégé par un haut grillage, est ouvert au public tous les jeudis après midi de juillet et d'août. Quelques archéologues bénévoles se font un plaisir de nous entraîner quelques milliers d'années en arrière. Une excavation de 7 mètres de profondeur montre une coupe stratigraphique des différents niveaux d'occupation de la dernière phase glaciaire (-12 000 ans) à nos jours. L'abri de la Balme de Thuy, protégé par une haute falaise, a connu le bref passage des pêcheurs, chasseurs et cueilleurs à l'époque du Mésolithique (8 000 ans), puis les premiers éleveurs et agriculteurs du Néolithique (5 000 ans). De nombreux silex et quartz utilisés pour la fabrication de pointes de flèches, grattoirs et autres, ont été retrouvés sur ces lieux ainsi que des morceaux de céramiques, décorés ou non, datant de toute la période du Néolithique.

La découverte d'un squelette d'enfant enterré et d'une urne funéraire confirme la présence de nos ancêtres sur ces lieux. Les plus belles de ces découvertes sont exposées au musée de Thônes. Pour compléter la balade, on peut encore admirer deux jolies cascades au bord la route, en continuant depuis le parking en direction de la Balme de Thuy.

ITINÉRAIRE

Le sentier part à droite de la route et grimpe en direction de la forêt. Suivre les balises en bois ou le nouveau balisage du GR Tournette-Aravis signalé par un pictogramme comportant les deux bandes rouge et jaune sur fond vert. À une bifurcation située à 700 m d'altitude (le Nantet), prendre la direction de la Rosière à droite. Le sentier passe sur un petit pont de bois qui enjambe un ruisseau puis arrive à un replat. Prendre le chemin qui monte sur la droite. Celui qui continue tout droit conduit au torrent (le Nant). Rejoindre la clairière et les chalets de Nant Debout situés à 765 m d'altitude. Suivre la piste sur la gauche. Traverser sur le pont et emprunter un petit sentier à gauche qui surplombe le cours d'eau. Il retrouve une piste horizontale jusqu'à son terminus puis débouche au belvédère de la Fenêtre, joli sentier taillé dans la falaise d'où l'on a une vue dégagée sur le Fier et la Dent du Cruet.

Continuer à descendre en suivant la direction de Morette. Arrivé en vue d'un parking, au niveau des panneaux, prendre à gauche le sentier menant aux fouilles. Il longe la falaise en balcon puis monte dans la forêt, franchit plusieurs ruisseaux sur des rondins de bois. Une cascade située à une dizaine de mètres à gauche du sentier principal tombe du haut d'une falaise haute d'environ 40 mètres. Continuer jusqu'au croisement du Nantet et reprendre le chemin de départ jusqu'au parking.

Observations : c'est une petite randonnée agréable lorsqu'il fait chaud car bien ombragée. Elle se fait sans problème pour des personnes peu habituées à la marche ou accompagnées de jeunes enfants.

Une cascade du circuit sur le nant Debout.

Lachat de Thônes (2023 m)

DÉPART : bout de la route de "Sous-La Perrière".

ACCÈS : depuis Annecy, D 909 jusqu'à Thônes puis direction Saint-Jean-de-Sixt. Après les Villards-sur-Thônes, au hameau de La Villaz, prendre la route à gauche montant en direction de "Sous-La Perrière". La suivre même lorsqu'elle devient route carrossable jusqu'à l'espace faisant office de parking.

HORAIRE GLOBAL : 5 heures.

DÉNIVELLATION : 1 000 m

NIVEAU : assez difficile ; la pente est soutenue pratiquement sur toute la montée ; un passage un peu malaisé sur les éboulis, la pente finale nécessitant parfois l'aide des mains sur quelques mètres.

CARTE : Top 25 IGN 3430 ET (La Clusaz - Grand Bornand).

Le Lachat de Thônes surplombe la jolie petite ville de Thônes, capital du reblochon. Cette randonnée dans la montagne des "thônins" est l'occasion rêvée de découvrir ce délicieux fromage des maraudeurs né au XIIIᵉ siècle dans cette vallée des Aravis. Autrefois, le fermier louait un alpage et devait donner au propriétaire une rétribution appelée "ocière", proportionnelle à la quantité de lait produite. Le jour où les propriétaires (moines ou seigneurs) venaient mesurer la production, le fermier pratiquait une traite incomplète et attendait le départ de ces derniers pour terminer sa traite. Avec ce "second lait" très gras, il fabriquait le reblochon. Le nom de ce fromage vient du patois "rablasser" qui signifie *action de marauder* et "reblochi", *pincer le pis de la vache une seconde fois*. C'est ainsi que le reblochon resta longtemps un fromage clandestin.

La table d'orientation du sommet. Derrière : la vallée de Thônes et la Tournette.

Au sommet du mont Lachat, vue vers le nord : la vallée d'Entremont, le Jalouvre et la pointe Percée à droite.

ITINÉRAIRE

Prendre la piste forestière qui pénètre dans la forêt. La pente devient assez vite très soutenue. À la sortie de cette première forêt de feuillus, de sapins et d'épicéas, passer devant un grand chalet et continuer jusqu'au réservoir en ciment sur lequel une grande flèche rouge indique sur la droite le sentier à suivre. Il traverse plusieurs bois et clairières en coupant les lacets de la piste. Sur le replat du réservoir d'eau, retrouver l'itinéraire qui vient du Fételay par les Monts. Par une traversée ascendante vers la gauche, rejoindre une barre rocheuse que le sentier en balcon franchit aisément. Le chemin passe entre les rochers et se dirige vers une zone d'éboulis que l'on remonte. Le balisage très rapproché permet de ne pas perdre le sentier qui disparaît parfois. En haut de la combe, traverser le pierrier pour rejoindre la face Sud-Est par un sentier plus stable, puis, par quelques ressauts, rejoindre la gigantesque croix métallique du sommet. Une table d'orientation donne les noms des nombreux sommets qui nous entourent. Une portion du lac d'Annecy apparaît derrière le col de Bluffy.

Observations : le balisage, rouge au début, passe au jaune à partir du deuxième réservoir. Les points jaunes sont assez gros et se repèrent de loin, ce qui n'est pas un luxe lorsqu'on atteint les éboulis et la partie finale de la randonnée. Dans le pré du deuxième réservoir et de la mare, plusieurs tables et bancs de bois sont mis à la disposition des randonneurs.

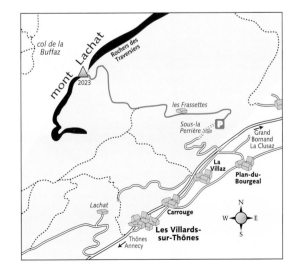

Traversée mont Veyrier - mont Baron

DÉPART : parking du carrefour avec la route du hameau de La Combe (panneau des randonnées).

ACCÈS : Veyrier-du-Lac par la D 909. À Chavoire, première route à gauche.

HORAIRE GLOBAL : 4 heures.

DÉNIVELÉE : 800 m

NIVEAU : facile.

CARTE : Top 25 IGN 3431 OT (Lac d'Annecy).

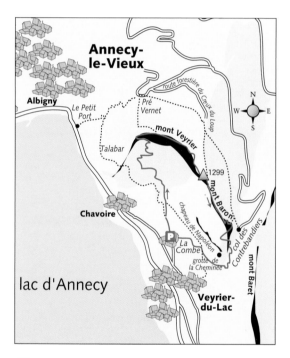

Le Petit port d'Annecy avec, en toile de fond, le mont Veyrier.

L e plus connu de ces deux sommets, le mont Veyrier, est paradoxalement le moins haut. Le parcours de la crête depuis le col des Sauts est jalonné de nombreux points de vue sur le lac et l'agglomération annécienne : un vrai régal. La falaise dominée par cet itinéraire est un terrain de jeu pour l'escalade et il n'est pas rare de rencontrer de curieux bipèdes bizarrement harnachés sur le chemin.

Avant la descente sur le col des contrebandiers, subsistent les vestiges d'une plate-forme qui dénotent en ce lieu. En effet, jusqu'en 1976, un téléphérique montait les visiteurs depuis les bords du lac jusqu'au sommet de la falaise, à 1 254 m d'altitude. Le câble, d'une portée de 1 525 m, frôlait la paroi rocheuse, gravissant sans pylône

intermédiaire les 748 m de dénivelée. Au sommet, les bennes accostaient de part et d'autre d'une proue de béton s'avançant dans le vide. Une terrasse panoramique offrait un superbe panorama sur le lac dans son écrin de montagnes. Ce téléphérique, construit en 1934 par l'ingénieur André Rebuffel et l'entrepreneur Auguste Fournier, représentait pour l'époque une belle performance technique. L'ensemble des constructions est aujourd'hui démantelé.

De nombreuses grottes, autrefois habitées, offrent des abris naturels disséminés au pied des falaises, on y aurait même trouvé des objets datant de l'âge du bronze et du mobilier gallo-romain. L'une d'elles, la grotte de la Cheminée, est facilement accessible à cinq minutes de l'itinéraire de descente. Une petite ouverture donne accès à une première salle dans laquelle s'élève une cheminée de deux mètres que l'on remonte à l'aide d'une corde fixe pour ressortir sur une pente raide qui monte à la deuxième salle.

ITINÉRAIRE

Remonter la route jusqu'à son terminus (aire de retournement), puis suivre le chemin de gauche. Traverser quelques prairies et suivre l'itinéraire bien fléché du col des Sauts. Les solides murs qui bordent le chemin témoignent d'une occupation ancienne de la montagne.

Franchir en oblique le torrent récemment raviné par l'orage puis retrouver le sentier. Après quelques lacets en forêt, il escalade facilement un ressaut rocheux pour déboucher au col des Sauts. On rejoint ici le GR du tour du lac que l'on suit à droite. Le chemin serpente en forêt ou longe le sommet de falaises pour passer successivement au mont Veyrier puis au mont Baron (balisage vert + GR pays). À la descente, après un passage un peu aérien équipé de marches en pierre et de barrières, retrouver la forêt qui domine le col des contrebandiers et prendre à droite à la première intersection. Le chemin rejoint plus bas l'itinéraire qui arrive directement du col (balisage rouge).

À l'altitude de 800 m, au pied des rochers du Chapeau de Napoléon, prendre sur la droite une petite sente qui longe les falaises jusqu'à la grotte de la Cheminée. Une petite ouverture donne accès à une première salle dans laquelle s'élève une cheminée de 2 mètres que l'on remonte à l'aide d'une corde fixe pour ressortir sur une pente raide qui donne accès à la deuxième salle. Poursuivre ensuite la descente en laissant à gauche le chemin du Péril, puis à droite celui du col des Sauts pour retrouver le haut du hameau de la Combe.

Observation : prévoir une corde pour accéder avec des enfants à la deuxième salle de la grotte de la Cheminée.

Coucher de soleil sur le lac et les Bauges depuis les crêtes du mont Veyrier.

Au sommet du mont Baron. Au fond, la Tournette.

Le mont Veyrier se devine derrière les arbres du port d'Annecy.

Mont Baret (1 227 m)

DÉPART : parking au hameau des Pénoz.

ACCÈS : depuis Annecy, prendre la D 909 en direction de Thônes. Au col de Bluffy, tourner à gauche (en face de l'auberge) puis tout de suite à gauche. Au hameau des Pénoz, stationner sur le parking à gauche dans un virage en épingle, au niveau du grand panneau signalant les différents circuits de randonnée.

HORAIRE GLOBAL : 4 heures.

DÉNIVELÉE : 750 m

NIVEAU : facile.

CARTE : Top 25 IGN 3431 OT (Lac d'Annecy).

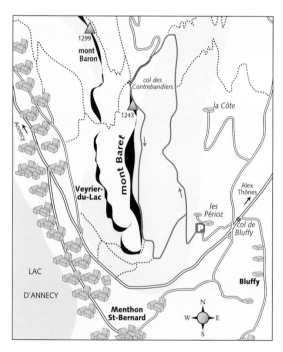

ITINÉRAIRE

Rejoindre la piste forestière horizontale qui démarre dans la continuité du parking. Après un virage à 90° sur la droite, elle devient assez raide, puis la pente s'assagit. Prendre le premier chemin sur la droite ; un pictogramme jaune et rouge sur fond vert indique la direction (attention, la végétation cache la balise et même le début du chemin). Faire une cinquantaine de mètres et prendre le premier sentier à gauche (balise). Ce parcours très agréable rejoint une piste : la remonter sur 20 m environ et prendre à droite (balise sur une pierre). Plus loin, suivre à gauche un sentier qui monte en lacets jusqu'à un petit col dans la forêt. Le pictogramme est sur un arbre. Descendre à droite et rejoindre une petite route goudronnée qu'il faut remonter jusqu'au col des Contrebandiers. Au bout de la route, prendre à gauche le chemin qui monte dans la forêt (panneau en bois) puis longe la base d'une falaise. Une large trouée dans les arbres offre une superbe vue sur Annecy, le lac, et, à droite, le mont Baron. Le sentier serpente ensuite entre les rochers, débouche sur un replat, part sur la droite et conduit à un belvédère d'où l'on voit

C ette randonnée forestière offre durant tout le circuit de nombreux points de vue très différents. Plusieurs sentiers traversent la forêt en balcon et laissent voir, au gré des clairières, de jolis panoramas sur les Dents de Lanfon, le Parmelan, la Dent du Cruet, la Tête Ronde, la Tête à Turpin, et bien sûr, le lac, côté Annecy et côté "Bout du lac". C'est peut-être une randonnée à privilégier à l'époque où les arbres ont perdu leur feuillage, pour profiter encore mieux du paysage. La forêt abrite de magnifiques hêtres aux troncs gris argenté, et des sapins gigantesques. Beaucoup d'arbres ont été abattus par la tempête de 1999 et l'ONF s'efforce de replanter sapins, mélèzes, hêtres, frênes, là où il ne reste plus rien.

Le mont Baret vu du Petit lac.

Au-dessus du col des Contrebandiers, une trouée permet d'apercevoir Annecy et le mont Baron.

Le château de Menthon et les falaises des Dents de Lanfon.

au premier plan le dôme feuillu du mont Baret, le lac d'Annecy en contrebas entouré des montagnes des Bauges et des Bornes. Longer ensuite la crête à l'abri des sous-bois. Dans une succession de montées et de descentes, le chemin laisse çà et là découvrir de beaux points de vue d'un côté sur la vallée de Thuy et de l'autre sur le mont Veyrier et le lac. Un dernier raidillon dans les rochers débouche sur un replat et conduit au sommet. La vision réduite entre les branches offre un joli point de vue sur le Petit lac. Poursuivre sur le sentier qui descend rapidement, longe une falaise et se termine en lacets avant de se transformer en piste forestière. À l'intersection, prendre à gauche direction col de Bluffy pour rejoindre le point de départ.

Observations : le circuit est balisé en rouge et jaune du départ au col des Contrebandiers, il correspond au GR de pays du tour du lac. Les bandes sont peintes sur des panneaux de bois ou sur des pierres, les plus récentes sont de petits pictogrammes fixés généralement sur les arbres (bande rouge et bande jaune sur fond vert). À partir du col des contrebandiers le balisage est bleu clair mais la peinture est ancienne.

La descente après le sommet est par endroits un peu physique. Quelques bonnes grimpettes justifient l'utilisation des bâtons.

Dent Nord de Lanfon (1 681 m)

par le col des Frêtes

DÉPART : avant le parking d'un "Aventure Parc", sur le bord de la route au niveau des panneaux indiquant les Dents de Lanfon.

ACCÈS : depuis Annecy, prendre la direction de Talloires (D 909). Après Écharvines, suivre la direction du col de la Forclaz. À l'entrée de Vérel, prendre à droite la route qui monte en direction du Parc Aventure (panneau).

HORAIRE GLOBAL : 5 h 30

DÉNIVELLATION : 1 130 m

NIVEAU : assez difficile (aérien, chutes de pierre, passages délicats).

CARTES : Top 25 IGN 3431 OT (Lac d'Annecy).

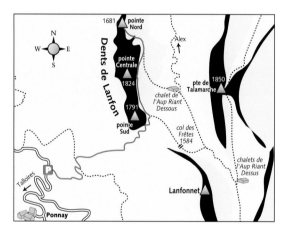

C'est une belle randonnée à la portée de tous jusqu'au col des Frêtes. Elle offre, à la sortie du bois une vue magnifique sur le lac d'Annecy, le château de Duingt et les montagnes des Bauges. Le sentier monte au col sous l'imposante paroi verticale de la Dent Sud. Au-delà du col, elle s'adresse à des marcheurs confirmés ne craignant pas les passages délicats nécessitant l'aide des mains et ayant le pied sûr dans les sentiers d'éboulis. Les Dents de Lanfon se dressent, majestueuses, au-dessus du lac. Elles sont trois. La Dent Sud (1 791 m) est, avec sa paroi verticale, le domaine des grimpeurs. Les sommets de la Dent Centrale, la plus élevée (1 824 m), et de la Dent Nord (1 681 m), s'atteignent par un sentier escarpé. Ils ne sont guère éloignés l'un de l'autre et les plus courageux pourront s'offrir les deux. Le sommet de la Dent Nord est surmonté d'une croix en bois érigée en hommage au Père Fauvel.

L'ambiance de cette randonnée est très particulière ; nous ne sommes plus dans les alpages verdoyants. Ici, les

Du sommet de la Dent Nord de Lanfon, vue sur la Dent Centrale, le Lanfonnet et la Tournette.

La nature a créé une belle sculpture au bord du chemin.

roches blanches d'origine calcaire créent un environnement plus alpin. Au sommet du premier ressaut dans la montée du couloir, sur la gauche, on aperçoit une très jolie grotte, accessible en quelques pas d'escalade sur un rocher facile. Deux ouvertures éclairent l'intérieur d'une lumière curieuse qui se diffuse sur des parois au relief tourmenté.

ITINÉRAIRE

Prendre la route forestière. À la première intersection, suivre le chemin de droite direction "col des Frêtes". Il coupe le GR "Tournette Aravis" et grimpe tout droit dans la forêt puis se transforme en un agréable sentier qui monte en lacets. Après la grosse pierre placée sur le passage, tourner franchement à gauche. Un peu plus loin, le sentier débouche sur un petit pierrier qu'il évite par la gauche pour replonger dans la forêt. Il ressort un peu plus haut, traverse une pente herbeuse puis serpente au pied de l'imposante paroi de la Dent Sud pour déboucher au col des Frêtes (1 584 m). Prendre à gauche en direction de la Dent Sud. Le chemin suit une arrête tranquille puis redescend sur quelques mètres assez raides pour ensuite longer la base d'une grande barre rocheuse. Il la contourne par la gauche puis rejoint en quelques virages escarpés le pied d'un couloir. Le remonter sur la droite. Deux ressauts successifs conduisent à un petit cirque. Prendre

le sentier de droite (celui de gauche mène à la Dent Centrale), le remonter sur environ 150 m. Juste avant un petit col, obliquer à droite sous le rocher ; la croix matérialisant le sommet est à une centaine de mètres et ne se découvre qu'au dernier moment.

Retour par le même itinéraire. Attention en redescendant le couloir, ne pas s'engager au fond du goulet, reprendre le sentier à droite (il remonte légèrement).

Observations : les difficultés commencent après le col des Frêtes. Le sentier devient escarpé et plusieurs endroits nécessitent l'utilisation des mains. La remontée du couloir est le passage le plus délicat (chutes de pierres).

La croix du sommet devant la Dent du Cruet.

Les Dents de Lanfon depuis les alpages de la pointe de Talamarche.

Au col des Frêtes.

Traversée de la Dent du Cruet (1 530 m)
par le Trou de la Chapelle

DÉPART : sur le chemin forestier, à droite avant le pont de Morette. Arrivée : Alex.

ACCÈS : depuis Annecy, prendre la direction de Thônes (D 909). Après le cimetière de Morette, prendre le chemin à droite avant le pont.

HORAIRE GLOBAL : 5 heures.

DÉNIVELLATION : 960 m

NIVEAU : assez difficile (plusieurs longueurs de passages équipés pour la montée, sentier escarpé).

CARTES : Top 25 IGN 3431 OT (Lac d'Annecy).

Remarques : pour réserver au gîte du Lindion : 04 50 02 95 62 - soirées à thème : programme sur *gite. du. lindion. free. fr*

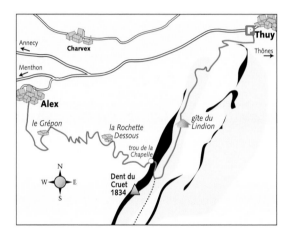

Pour cette randonnée originale, il est préférable de placer une seconde voiture au lieu d'arrivée (Alex) distant de quelques kilomètres du point de départ. Le village d'Alex se situe sur la D 909 avant le chemin forestier. À l'église, prendre la direction "Villard-Dessous". Après 200 mètres environ, prendre la première route à gauche et la suivre jusqu'au terminus du goudron.

La faible fréquentation et l'originalité sont les atouts principaux de cette randonnée. En effet, êtes-vous souvent passé d'un côté à l'autre de la montagne par une grotte naturelle longue d'une centaine de mètres ? Certes, l'accès à la grotte se mérite car le sentier est très escarpé, mais cordes, chaîne et câble facilitent les passages les plus délicats.

Il est possible de passer une soirée fort sympathique au gîte du Lindion. Guillaume et Sylvain ont repris sa gérance en 2002. Ils ont fait quelques aménagements, améliorant grandement le confort de ce joli chalet typique de la région. En plus d'assurer le gîte et le couvert du 15 mai au 15 septembre, ils s'occupent d'un troupeau de 70 génisses.

ITINÉRAIRE

La piste forestière longe la rivière sur quelques mètres. À la bifurcation, prendre à droite un chemin qui se redresse et grimpe à travers la forêt. Franchir plusieurs barrières ; le chemin passe sous les chalets du Cruet puis monte au gîte d'alpage du Lindion. Continuer sur le GR 96 en direction de la Dent du Cruet. Il traverse forêts et alpages. À la troisième forêt, dans une épingle-à-cheveux à gauche, un cairn situé à l'extérieur du virage marque le départ d'un petit sentier qui monte droit dans la forêt. Une inscription en rouge sur une pierre indique le trou de la Chapelle. Suivre ce petit sentier de plus en plus escarpé. Une corde fixe facilite certains passages. Une chaîne aide à passer au-dessus d'un rocher et un câble permet d'arriver sur la crête (points jaunes et traits rouges). Un petit parcours à plat permet d'accéder à l'entrée de la grotte, dont le volume intérieur peut rappeler une chapelle. La sortie, grandiose, est une immense salle abondamment éclairée par plusieurs ouvertures. Un chemin escarpé franchit la plus grande puis rejoint en traversée une pente herbeuse que l'on descend en zigzag.

Après un passage en forêt, le sentier débouche sur l'alpage de la Rochette-Dessus. Le descendre en restant à droite, puis traverser vers la gauche le fond de l'alpage pour trouver un chemin qui descend sur la droite en forêt. Il sort sur un second alpage, le descendre en direction du chalet de la Rochette-Dessous. Descendre le vallon situé à gauche des bâtiments et retrouver un chemin qui plonge dans la forêt. Il rejoint beaucoup plus bas un large chemin qui descend jusqu'à l'alpage du Grépon puis continue jusqu'à l'emplacement de la seconde voiture.

Observations : prévoir des lampes et attention au sol ultra-glissant dans la grotte dont les sentiers d'accès et de sortie sont escarpés ; certains passages demandent l'utilisation des mains.

La Dent du Cruet (à gauche) vue de la Balme de Thuy.

L'entrée du trou de la Chapelle en versant ouest.

Pointe de Talamarche (1 850 m)

DÉPART : après le Villard-Dessus, au terminus de la route (dans la forêt). Arrivée : route forestière avant le pont de Morette.

ACCÈS : depuis Annecy, prendre la route de Veyrier-du-Lac, puis suivre la D 909 en direction de Thônes ; passer le col de Bluffy. Prendre la 1re route à droite direction Alex, puis encore à droite direction Villard-Dessous puis Villard-Dessus.

HORAIRE GLOBAL : 5 heures.

DÉNIVELLATION : 1 000 m

NIVEAU : moyen, pente assez soutenue au départ.

CARTE : IGN 1/25 000e 3431 Ouest (Annecy).

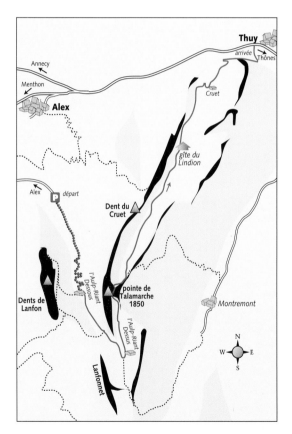

Cette randonnée offre la possibilité de ne pas revenir par le même itinéraire mais oblige, dans ce cas, à poser une seconde voiture sur la route forestière à droite avant le pont de Morette. Les sentiers sont bien marqués, ils traversent des alpages couverts d'une multitude de fleurs différentes. Il n'est pas rare de croiser une marmotte, un chamois ou même, dans la forêt, une famille de sanglier. Un petit crochet au col de Frêtes permet de voir décoller les parapentistes lorsque les conditions atmosphériques le permettent. À la pointe de Talamarche, la vue est plongeante sur le Petit lac et inhabituelle sur les Dents de Lanfon. Dans le vallon encaissé du Cruet, ruisseaux, cascades, forêts, clairières se succèdent sans jamais lasser le randonneur.

Le vieux chalet d'alpage du Lindion, où l'on peut refaire le plein d'eau, a été restauré par la famille Gomez qui en a fait le premier gîte d'alpage de Haute-Savoie. Il est maintenant tenu par deux jeunes garçons dynamiques et pleins de bonnes idées. Ils proposent des repas très attrayants pour une somme tout à fait raisonnable : une adresse à retenir.

ITINÉRAIRE

Du parking, remonter le vallon du nant d'Alex par un chemin carrossable assez raide. Il débouche sur les alpages. Passer près des chalets de l'Aulp-Riant-Dessous. Remonter le vallon en laissant à droite l'itinéraire qui mène au col des Frêtes. Le sentier remonte un joli vallon jusqu'à une sorte de col qui débouche sur une large combe. Se diriger vers les chalets d'alpage de l'Aulp-Riant-Dessus, remonter à gauche au col des Tervelles puis dans la face Sud pour arriver au sommet de la pointe de Talamarche.

De là, descendre le vallon encaissé entre la Dent du Cruet et l'arête Couturier, traverser une succession d'alpages et de forêts pour arriver au chalet du Lindion. Suivre la piste carrossable qui descend dans la forêt et passe près des chalets du Cruet.

Observations : que ce soit du côté d'Alex ou de celui de Morette, la piste forestière est très raide et les bâtons vous seront d'un grand secours. Après la forêt, la dénivelée est beaucoup plus raisonnable et les paysages vous feront vite oublier l'effort demandé en début de balade.

De nombreuses barrières se trouvent en travers du chemin. Il faut bien penser à les refermer après votre passage pour éviter que les troupeaux ne s'échappent.

Les épilobes garnissent le vallon du Cruet.

La pointe de Talamarche vue du sommet de la Dent du Cruet. Au fond, l'inévitable Tournette.

Cascade d'Angon (650 m)

DÉPART : entrée du village d'Angon. Pas de parking, il faut se garer sur le bord de la route.

ACCÈS : Annecy, Veyrier, Talloires sur la D 909a. Monter la petite route à gauche qui conduit au village d'Angon.

HORAIRE GLOBAL : 3 heures.

DÉNIVELLATION : 300 m

NIVEAU : facile.

CARTE : Top 25 IGN 3431 OT (Lac d'Annecy).

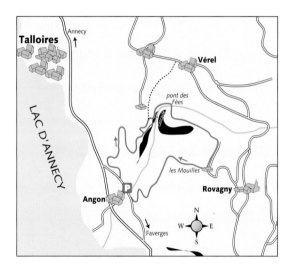

ITINÉRAIRE

Un panneau de bois indique au bord de la route le début de la randonnée. Prendre ce sentier pénétrant dans la forêt. L'itinéraire est balisé en jaune. Le chemin suit une pente assez soutenue pendant environ 20 minutes Au croisement, prendre à droite le sentier qui descend vers la cascade. Une barrière métallique court tout le long de ce chemin glissant par endroit. Il parcourt une vire naturelle

Cette jolie randonnée pleine de fraîcheur ne présente aucune difficulté. Elle a pour but non pas un sommet, mais une cascade assez spectaculaire. Le nant de Grenant, petit torrent de montagne, prend sa source au pied du Lanfonnet et descend se jeter dans les eaux du lac d'Annecy. Le relief accidenté de la forêt d'Angon le transforme en une cascade de 60 m que l'on ne peut admirer qu'à pied : la cascade d'Angon.

Plusieurs chemins amènent à cette cascade dont un très court (une demi-heure) et relativement plat mais nous avons préféré choisir un circuit plus complet, en boucle pour découvrir plus amplement la forêt d'Angon. Admirablement située au bord du lac, cette balade très appréciée des Annéciens offre en de nombreux endroits des points de vue très "carte postale" du lac. Toujours sous le couvert de la forêt, elle peut se faire en pleine après-midi. La cascade d'Angon est un lieu très apprécié des amateurs de canyoning que l'on peut voir descendre en rappel le long de ces 60 mètres de roche lisse et glissante, avant de sauter dans une marmite d'eau sombre et poursuivre leur descente jusqu'au village d'Angon.

La cascade d'Angon
telle qu'on peut la voir
en empruntant le
chemin en corniche.
Sur la photo de gauche,
un canyoniste dans la
même cascade.

Les Dents de Lanfon et le Lanfonnet vus du Pré des Mouilles.

creusée dans la falaise, se montre un peu aérien par endroit mais offre des vues splendides sur le lac et le défilé dans lequel se jette la cascade. Il passe, à l'abri d'une arche de pierre, sous une première cascade de taille modeste et continue jusqu'à déboucher à mi-hauteur de la chute d'une imposante cascade qui se jette 30 mètres plus bas dans un défilé de roches calcaires des plus impressionnants. Revenir jusqu'au croisement des chemins et prendre celui qui monte. À la première bifurcation, prendre à droite. Le chemin traverse un pont. Quelques mètres plus loin, il se sépare en deux : garder celui qui monte à gauche. Traverser un second pont de pierre enjambant de jolies cuvettes et de petites cascades : c'est le pont des Fées. Le chemin sort de la forêt et traverse un pré offrant une vue dégagée sur le lac. Poursuivre entre forêt et prés pour aboutir sur une petite route goudronnée au pied du hameau de Rovagny. La suivre à droite sur 200 mètres environ puis retrouver un sentier sur la droite au niveau d'une vieille grange. Un panneau de bois indique le chemin (Angon-Talloires). Longer le ruisseau, traverser un champ d'où la vue est originale sur les Dents de Lanfon, le Lanfonnet et la Tournette et plonger dans la forêt. La descente est jalonnée de balises rouges. Arrivé au village, prendre la route à droite sur quelques mètres pour retrouver le point de départ.

Observations : pas de difficultés. Une forte montée au départ et une descente assez longue à la fin peuvent éventuellement justifier l'usage des bâtons.

Un petit passage escarpé à l'arrivée à la cascade est facilité par la présence d'une chaîne.

Le sentier d'accès au belvédère de la cascade emprunte une vire naturelle.

Des crêtes du Lancrenaz (1 694 m) aux crêtes du Lanfonnet (1 768 m)

DÉPART : chalet de l'Aulp.

ACCÈS : depuis Annecy, prendre la D 909 jusqu'à Écharvines puis la D 42, col de la Forclaz. Au Villard, prendre à gauche la route du chalet de l'Aulp. À partir des Prés Ronds, la route goudronnée se transforme en piste carrossable jusqu'au parking près de la ferme de l'Aulp.

HORAIRE GLOBAL : 3 heures.

DÉNIVELLATION : 600 m

NIVEAU : facile.

CARTE : Top 25 IGN 3431 OT (Lac d'Annecy).

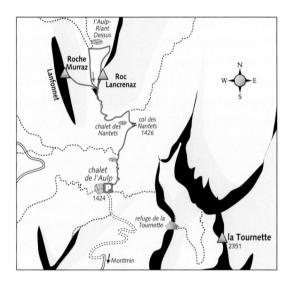

Cette jolie balade sans difficulté technique nous montre une face inhabituelle de la célèbre Tournette. Les alpages traversés permettent de découvrir une flore riche et variée. Suivant les lieux et les expositions, nous sommes tour à tour au milieu d'un parterre de centaurées, de géraniums sauvages ou de lys de Saint-Bruno. Nous marchons sur un sentier bordé de raiponces et de gentianes. De nombreux arbustes de rhododendrons égaient d'un rose lumineux la pelouse environnante. La présence surprenante de pins aux troncs noueux donne à la randonnée un petit air méditerranéen très agréable.

Chamois et marmottes occupent discrètement ce petit paradis verdoyant. Il paraît qu'un lynx habiterait en ces lieux. Tous les bergers et alpagistes du secteur en parlent mais c'est un peu l'Arlésienne. Même José, 76 ans, berger depuis 42 ans à l'Aulp-Riant-Dessus, en parle sans l'avoir jamais vu.

Un petit arrêt à la ferme de la Froulaz s'impose. Jeannine, Éric et leur fille Jessica proposent des petits repas simples aux randonneurs et vendent tommes, chevrotins et séracs de chèvres fabriqués au chalet. Un délice… Les gens du pays aiment se retrouver ici pour casser la croûte sur la terrasse. La bonne humeur et l'efficacité de Jeannine contribuent à créer une ambiance sympathique où chacun se fait un plaisir de raconter maintes anecdotes croustillantes concernant la vie en montagne.

ITINÉRAIRE

Prendre le chemin derrière la ferme de l'Aulp. Un panneau de bois indique la direction de Thônes, des chalets des Crottes et de la Froulaz. Ce chemin descend dans la forêt, passe sous les chalets des Crottes et remonte en direction du col des Nantets. Il faut environ 30 minutes pour atteindre ce col situé au pied des contreforts nord de la Tournette. Suivre la piste qui monte de Montremont et rejoint à gauche le chalet de la Froulaz à travers les alpages. Poursuivre au-dessus du chalet entre alpages multicolores et épicéas.

Collection de plaques de concours au chalet de l'Aulp.

Le Roc de Lancrenaz
depuis le col des
Nantets.

Les chèvres du col des Nantets.

Passer le pas de l'Aulp entre les rochers de Lancrenaz et déboucher dans une large combe verdoyante fermée au fond par la pointe de Talamarche au pied de laquelle se nichent les chalets d'alpage de l'Aulp-Riant-Dessus. Prendre le sentier de droite qui parcourt les crêtes de Lancrenaz en passant entre des pins aux troncs tortueux, descendre en direction des chalets ; le sentier n'est pas marqué, mais c'est un alpage facile. Prendre le large chemin (GR 96) en direction du Roc Lancrenaz et suivre le sentier qui longe un muret de pierre sur la droite, grimpe entre les rochers et les épicéas, puis longe la crête pour arriver au sommet de la Roche Murraz (ou Lanfonnet) signalée par une borne. De là, la vue dégagée permet de voir le lac d'Annecy sur pratiquement toute sa longueur. La descente se fait par ce même sentier.

Observations : cette randonnée est sur le parcours du GR 96 (tour du lac d'Annecy).

Il est tout à fait possible de monter à la pointe de Talamarche depuis cet itinéraire. Aux chalets de l'Aulp-Riant-Dessus, prendre le sentier visible sur la gauche ou grimper dans la pente herbeuse face aux chalets pour rejoindre une petite sente qui amène au sommet sans difficulté.

La Roche Murraz (ou Lanfonnet) et la pointe de Talamarche depuis le Roc Lancrenaz.

Roc de Chère (651 m)

DÉPART : parking avant l'entrée du golf d'Écharvines.

ACCÈS : depuis Annecy, prendre la D 909 en direction de Talloires. Après Veyrier, au village d'Écharvines, emprunter à droite une petite route qui conduit au terrain de golf.

HORAIRE GLOBAL : 1 h 15

DÉNIVELÉE : 100 m

NIVEAU : très facile.

CARTE : Top 25 IGN 3431 OT (Lac d'Annecy).

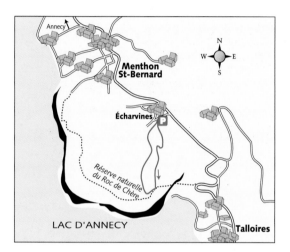

Ce massif rocheux et boisé de 200 hectares forme une péninsule calcaire surplombant d'une centaine de mètres le lac entre Menthon Saint-Bernard et Talloires. Depuis 1977, 68 hectares ont été consacrés à une réserve naturelle dont la particularité est de faire cohabiter une flore de type boréal (rhododendron ferrugineux, gentiane printanière, jonc alpin) et méditerranéen (érable de Montpellier, buis, baguenaudier). On peut ainsi voir une végétation méridionale côtoyer, à la même altitude et à quelques centaines de mètres d'écart, une tourbière, vestige de la dernière glaciation alpine. 560 espèces végétales s'y développent dont 5 protégées. Une quinzaine d'orchidées différentes ont trouvé là un biotope idéal et, dans les sous-bois, environ 140 espèces de champignons prospèrent.

Le Roc de Chère abrite en outre de nombreuses familles d'oiseaux, des sangliers, des chevreuils, des renards, des écureuils et des lièvres. Les zones marécageuses hébergent une faune d'amphibiens très intéressante (tritons palmés et alpestres, salamandres tachetées) et les versants ensoleillés attirent les lézards verts et les couleuvres d'Esculape. C'est un lieu idéal pour se promener en famille et découvrir des points de vue magnifiques sur le lac et les montagnes des Bauges (Sambuy, Arcalod, Charbon, Roc des Bœufs).

Ce rocher était déjà occupé à la préhistoire. Un vase découvert au XVIIe siècle prouve que les Gaulois y ont également séjourné. Les Romains y avaient construit une maison appelée *Cara Silva* (chère forêt), d'où son nom. À cette époque, ils venaient à Menthon pour profiter des thermes alimentés par une source alcaline et sulfureuse aujourd'hui disparue.

Face au Roc de Chère se trouve la presqu'île de Duingt. À cet endroit, les eaux du lac sont peu profondes et, en période de basses eaux, on peut voir l'îlot du Roselet qui cacherait les vestiges d'un village lacustre datant de 750 avant J.-C.

ITINÉRAIRE

Le parcours débute au niveau du panneau de la réserve. Suivre le sentier balisé en vert et intitulé *chemin du Belvédère*. Il remonte un petit vallon boisé, puis bifurque à droite. Avant de suivre le chemin à droite indiquée par le panneau, avancer de quelques pas pour admirer le premier point de vue sur le petit lac et sur Duingt. Après un petit quart d'heure, le chemin débouche sur le deuxième point de vue situé sur un replat de pierres. Il offre une vue différente du lac. Reprendre le sentier qui part à gauche et traverse une zone humide parsemée de petites mares. Dans une ligne droite, prendre un sentier qui bifurque brusquement à gauche (indiqué par une borne) puis revient sur la droite. Descendre dans la forêt, longer le terrain de golf puis suivre le chemin qui descend à gauche et revient au point de départ.

Observations : cette petite promenade peut se faire avec de jeunes enfants ; elle est très courte, agréablement ombragée, variée et ne comporte aucune difficulté.

Les bâtons ne sont pas nécessaires et une paire de baskets suffit largement.

Du Roc de Chère, vue sur le Petit lac et la baie de Talloires.

Les falaises du Roc de Chère derrière une école de voile.

Pointe de la Rochette (1 491 m) et col de l'Aulp (1 425 m)

DÉPART : parking du col de la Forclaz.

ACCÈS : depuis Annecy, prendre la D 909 en direction de Talloires. Après Écharvines, prendre à gauche la D 42 qui monte au col de la Forclaz.

HORAIRE GLOBAL : 3 heures.

DÉNIVELÉE : 350 m

NIVEAU : facile.

CARTE : Top 25 IGN 3431 OT (Lac d'Annecy).

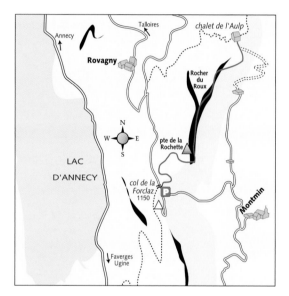

Le lac vu du col de la Forclaz, avec, au centre, la presqu'île de Duingt.

Cette petite balade à la portée de tous offre une des plus belles vues sur le lac d'Annecy et les montagnes environnantes. Le col de la Forclaz est un endroit très prisé par les amateurs de deltas et parapentes. Des professionnels proposent un vol en biplace au-dessus du lac. Un moment inoubliable…

La pointe de la Rochette est un petit endroit paisible dominant le col. Elle offre une vue panoramique sur le lac, la Forclaz, la Tournette, les Bauges et l'on peut même voir en toile de fond la Lauzière et l'Étendard. Du sommet, on remarquera une tache jaune entre le Petit et le Grand lac, au niveau du Roc de Chère et du château de Duingt : il s'agit des hauts fonds qui, à la préhistoire, séparaient le lac en deux cuvettes. Des cités lacustres ont occupé jadis ce lieu.

Le second belvédère présente une vue totalement différente et permet de découvrir les impressionnantes Dents de Lanfon, le Rocher de Roux et la Tournette.

Collection de cloches au chalet de l'Aulp.

Le chalet d'alpage de l'Aulp propose des repas campagnards et des sandwichs que l'on peut déguster sur une agréable terrasse ensoleillée au pied de la Tournette, dans le tintement joyeux des cloches que les vaches arborent avec fierté. Les alpagistes proposent à la vente tommes et reblochons fabriqués sur place. Une belle collection de sonnettes et d'écussons de concours accrochés à la façade de l'écurie complète ce décor alpin.

ITINÉRAIRE

Monter sur la route à gauche du col. Passer devant la ferme et suivre la direction du GR 96. Un sentier plus direct évite de prendre la route. Il passe devant plusieurs tremplins d'envol de parapentes et deltas. Après la cabane des "Volatiles", prendre le sentier qui monte au-dessus du petit chalet et s'enfonce dans la forêt. Il rejoint rapidement, dans un virage, une piste forestière. Au replat dans la forêt, prendre à gauche un sentier qui conduit en quelques minutes à la pointe de la Rochette.

Redescendre de quelques mètres pour apprécier pleinement le panorama. Reprendre le sentier d'arrivée jusqu'au chemin et poursuivre en direction du col de l'Aulp. Suivre le panneau "point de vue" qui conduit à un autre belvédère. Descendre sur le sentier escarpé situé à l'autre bout du belvédère : il rejoint le chemin principal qui longe la falaise sous le Rocher de Roux, traverse des alpages fleuris, passe devant une croix et se termine au col de l'Aulp. Retour par le même itinéraire.

Observations : prudence par temps de pluie au passage sous la falaise : le sentier traverse une zone très pentue ; certains endroits sont équipés de chaînes pour éviter la glissade.

Le sentier qui descend du second belvédère est assez raide et devient rapidement glissant par temps humide. Il est possible d'éviter ce passage en reprenant le sentier d'arrivée au belvédère jusqu'au panneau "point de vue" et poursuivre sur le chemin principal.

Vue du lac depuis les abords de l'aire de décollage des parapentes.

La Tournette (2 351 m)

DÉPART : chalet de l'Aulp.

ACCÈS : depuis Annecy, prendre la D 909 jusqu'à Écharvines puis la D 42, col de la Forclaz. Au Villard, prendre à gauche la route du chalet de l'Aulp. À partir des Prés Ronds, la route goudronnée se transforme en piste carrossable jusqu'au parking près de la ferme de l'Aulp.

HORAIRE GLOBAL : 4 h 30

DÉNIVELLATION : 920 m

NIVEAU : assez difficile (au sommet, quelques passages équipés de câbles et chaînes ; la montée au Fauteuil sur l'échelle est un peu aérienne).

CARTE : Top 25 IGN 3431 OT (Lac d'Annecy).

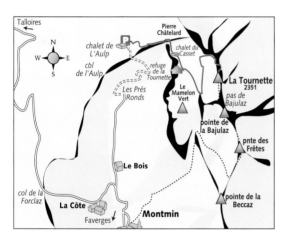

La Tournette aux corniches tourmentées est une classique du coin. Été comme hiver, de jour comme de nuit (eh oui, les soirs d'hiver, sous la pleine lune, il n'est pas rare de croiser dans un silence religieux des skieurs en peaux de phoque), on y rencontre toujours quelqu'un. C'est la montagne des Annéciens et c'est aussi l'un des plus hauts sommets des Aravis, une véritable forteresse qui domine le lac de ses 2 351 m. Elle peut se gravir depuis Thônes, mais, l'été, c'est surtout depuis le chalet de l'Aulp, côté lac, que la randonnée s'effectue. La balade commence à 1 430 m d'altitude et, dès les premiers lacets du sentier, le panorama est superbe sur le lac d'Annecy. Il est très fréquent de rencontrer des bouquetins sur le chemin. Ce grand cervidé vit généralement entre 1 800 m et 3 300 m d'altitude. Peu farouche, il est habitué à l'homme. De vieilles croyances ont failli le faire disparaître et c'est le roi d'Italie Victor-Emmanuel II qui prit les premières mesures pour sa sauvegarde.

Lever de soleil sur le Fauteuil au sommet de la Tournette.

Arrivée sur le Fauteuil par les échelles.

La partie finale de la randonnée se fait dans des barres rocheuses à l'aide de câbles, ce qui donne un petit côté ludique à la balade. Pour accéder au Fauteuil, monolithe calcaire haut d'une trentaine de mètres et véritable sommet de la Tournette, il faut utiliser quelques câbles et échelles (équipées de bonnes mains courantes) qui peuvent impressionner les personnes sensibles au vertige. Au retour, on peut se désaltérer et manger un délicieux repas savoyard à la terrasse panoramique du chalet de l'Aulp.

ITINÉRAIRE

Depuis le chalet de l'Aulp (1 450 m), prendre le sentier qui serpente dans les alpages. Il oblique à droite sous d'impressionnantes falaises pour rejoindre le replat du Casset, passe derrière le refuge de la Tournette et traverse un alpage occupé à la belle saison par un troupeau de moutons. Au fond de ce cirque, le chemin franchit quelques passages rocheux et débouche sur un second cirque lui aussi barré de falaises infranchissables. Poursuivre sur la gauche de la face jusqu'au col du Varo (2 151 m). C'est ici que l'on croise le plus souvent les bouquetins. Le sentier longe la crête

Coucher de soleil sur la falaise du Casset vers le refuge Blonay-Dufour, au-dessus des rhododendrons.

herbeuse et rejoint les rochers. Quelques passages délicats sont équipés de câbles. Le sentier est toujours très bien marqué et conduit sans problème sur la crête, au pied du fameux Fauteuil. Quelques câbles et échelles permettent de

franchir ce passage délicat et d'accéder au sommet du Fauteuil d'où la vue est magnifique sur le lac qui scintille 1 800 m plus bas. Descente par le même itinéraire.

Observations : parmi plusieurs itinéraires possibles, celui ci est le plus classique et permet d'admirer le lac tout le long de la randonnée. Pour le spectacle, il est conseillé de dormir au refuge et partir de nuit pour assister au lever du soleil depuis le sommet (compter 1 h 30 à 2 h de marche).

Crêt des Mouches (2033 m)

DÉPART : Plan Montmin.

ACCÈS : depuis Annecy, prendre la D 909 jusqu'à Écharvines puis la D 42 direction col de la Forclaz, Montmin puis Plan Montmin. Se garer sur la route forestière à gauche, à l'entrée du hameau.

HORAIRE GLOBAL : 4 heures.

DÉNIVELLATION : 1 000 m

NIVEAU : moyen.

CARTE : Top 25 IGN 3431 OT (Lac d'Annecy).

Marmotte en folie.

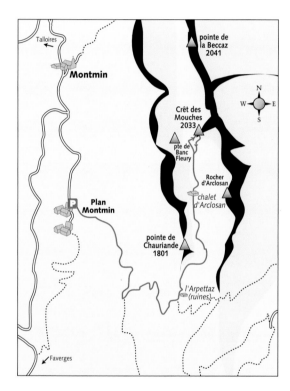

L e Crêt des Mouches est un petit sommet sans prétention au cœur d'un panorama magnifique avec, au premier plan, la Tournette, puis le lac d'Annecy entouré du mont Veyrier, des Dents de Lanfon et bordé par les Bauges. Au fond, le Jura se perd dans la brume. On reconnaît également l'Oisans, Belledonne, la Grande Lauzière, la Vanoise, le Mont-Blanc, les Aravis et, en arrière-plan, le Chablais. Une bonne partie des plus beaux sommets des Alpes du Nord se dresse ainsi autour de nous.

Des moutons broutent une herbe grasse et généreuse dans la combe située après les chalets d'Arclosan. Des marmottes bien dodues courent dans la prairie colorée d'une multitude de fleurs : myosotis, renoncules, rhododendrons et l'élégant lys de Saint-Bruno. Les chalets de l'Arclosan sont d'anciennes bergeries. La cabane principale est aménagée de façon rudimentaire pour servir de refuge : une table, un fourneau et des lits à bat-flanc permettent d'y passer une soirée spartiate dans un cadre bucolique. C'est également l'endroit idéal pour surprendre au petit matin les animaux sauvages venus se désaltérer au bord du petit lac situé en contrebas des chalets.

ITINÉRAIRE

Suivre la route forestière sur environ 2 km. À la sortie de la forêt, prendre à gauche le sentier indiquant l'Arclosan sur un panneau de bois. Bien marqué, il traverse un ancien chemin et continue un peu sur la droite. Quelques mètres après, rejoindre une piste forestière qui monte à gauche. À la sortie de la forêt, prendre un sentier à gauche qui serpente dans les chablis puis, en quelques lacets, arrive à l'Arpettaz dans une zone d'alpages abandonnés.

La vue est magnifique sur les montagnes environnantes et laisse présager le panorama exceptionnel qui nous attend au sommet. Suivre le sentier de l'Arclosan (panneau de bois) balisé de bandes vertes. Il traverse une forêt de feuillus et d'épicéas, un pierrier, passe entre une barre rocheuse à gauche et une hêtraie à droite, puis monte à travers une pente herbeuse pour devenir un agréable chemin qui longe le flanc de la montagne.

Aux anciennes bergeries d'Arclosan, suivre le fond de la combe jusqu'au col et prendre une sente à droite pour atteindre le sommet.

Observations : cet itinéraire est peu fréquenté mais le sentier est assez bien marqué. Il faut toutefois être vigilant à certains endroits, car il disparaît ou fait un détour pour éviter les nombreux arbres abattus par la fameuse tempête de décembre 1999, et laissés en travers du chemin.

Lever de soleil sur les Aravis au replat de l'Arpettaz.

La gouille du chalet d'Arclosan et la pointe de Banc Fleury.

20

Roc de Viuz (853 m)
chalets du Solliet (995 m)

DÉPART : bout de la route après le hameau du Lautharet.

ACCÈS : depuis Annecy, prendre la N 508. Sur la rocade, au niveau de Faverges, suivre la direction Saint-Ferreol, Thônes (D 12). Dans le village du Noyeray, prendre la première route à gauche, faire 150 m et prendre à nouveau à gauche. La route monte jusqu'au hameau du Lautharet ; prendre à gauche jusqu'au cul de sac.

HORAIRE GLOBAL : 3 heures.

DÉNIVELLATION : 485 m

NIVEAU : facile.

CARTE : Top 25 IGN 3431 OT (Lac d'Annecy).

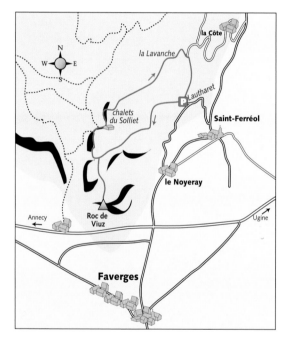

Cette randonnée en circuit est bien ombragée. Le Roc de Viuz est un magnifique belvédère sur Faverges et les montagnes alentour, du massif des Aravis avec le Charvin, à celui des Bauges avec la majestueuse pointe de la Sambuy, le Vélan et la montagne du Charbon en passant par la Dent de Cons, la Belle Étoile et le col de Tamié. Deux bancs encadrent une immense croix de métal très visible depuis Faverges.

La forêt de feuillus et de conifères que l'on traverse possède quelques beaux spécimens d'épicéas aux troncs imposants se dressant fièrement vers les cieux. À de nombreux endroits de la forêt, la terre est retournée, signe de la présence de sangliers.

La piste forestière est bordée d'une quantité incroyable de fraises des bois qui font bien envie, mais attention, n'oubliez pas le danger de l'échinococcose alvéolaire : un petit vers, le ténia, vit dans le ventre de certains renards. Les crottes du renard sont infestées d'œufs de ce ténia et si celles-ci sont abandonnées près d'un parterre de fruits des bois, ces œufs lavés par les pluies vont remonter par capillarité jusqu'aux fraises qui en seront souillées. Il faut parfois plusieurs dizaines d'années pour que la maladie se déclare et il n'existe pas de médicaments pour la soigner. Heureusement, il n'y a que très peu de cas en France (moins de 500 cas par an).

ITINÉRAIRE

Redescendre la route sur quelques mètres et prendre le chemin à droite dans le virage (panneau). Il grimpe régulièrement entre bois et pâturages jusqu'aux Teppes (maison), plonge ensuite dans une forêt profonde puis se transforme très vite en sentier montant tranquillement jusqu'à un replat où il se sépare en deux. Prendre à gauche, suivre le panneau "Roc de Viuz". Le sentier descend, quitte la forêt pour sinuer dans les rochers, au milieu de petits chênes verts. Il remonte légèrement pour arriver au belvédère du Roc de Viuz.

Remonter jusqu'au point d'intersection et prendre le sentier de gauche conduisant au Solliet (panneau). Il sort du bois, longe un pré et aboutit sur un chemin carrossable au cœur d'un groupe de fermes. Suivre la direction des Lavanches (à droite) et descendre la piste forestière jusqu'à la route. La remonter sur quelques mètres pour arriver au hameau des Lavanches. Prendre à gauche au niveau de la croix, passer devant une grosse ferme et suivre un chemin ombragé jusqu'au point de départ.

Observations : cette balade s'adresse à tous. Elle bénéficie d'un balisage (bande verte) récent et bien fait.

Du sommet du Roc de Viuz, lever de soleil sur le Charvin.

Un renardeau surpris.

21

Montagne de Sulens (1839 m)

DÉPART : col de Plan-Bois.

ACCÈS : depuis Annecy, prendre la D 909 jusqu'à Thônes puis la D 12 jusqu'à Manigod. Dans le village, prendre le route qui descend sur la droite. Après le pont, prendre encore à droite et monter jusqu'au col de Plan-Bois.

HORAIRE GLOBAL : 4 heures.

DÉNIVELLATION : 540 m

NIVEAU : moyen.

CARTE : IGN TOP 25 3531 OT (Megève, col des Aravis).

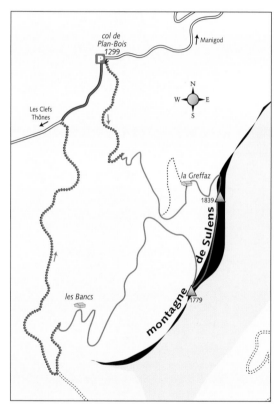

C'est une promenade très agréable entre bois et alpages. La montagne de Sulens est connue des géologues pour son terrain particulier, appelé "klippe", qui favorise le développement d'une fleur très rare : le sabot de Vénus. Il est assez fréquent de croiser quelques chamois forestiers dans les parties boisées, et les troupeaux de vaches broutant paisiblement une belle herbe grasse et fleurie ne peuvent que nous inciter à déguster le délicieux fromage vendu dans les fermes.

Les alpagistes restent environ quatre mois dans la montagne avec les troupeaux. Ils fabriquent le célèbre reblochon, le fromage des maraudeurs, bien affiné dans des caves fraîches. Sa saveur délicate laisse un arrière-goût de noisette.

Par beau temps, la vue du sommet est assez exceptionnelle ; elle s'étend sur 360° : Lachat, Jalouvre, Grand Bornand, pointe Percée, combes des Aravis, Mont-Blanc, Charvin, Tournette et Parmelan se dressent autour de nous. On peut même voir au loin quelques sommets de la Vanoise et du Beaufortain.

ITINÉRAIRE

Prendre la piste qui part derrière l'auberge et monte dans la forêt. Après une petite demi-heure de marche, elle débouche sur des alpages. Rester sur le chemin principal qui bifurque à droite et passe devant une ferme. Après une traversée, sortir au pied d'une combe où sont implantés les derniers chalets d'alpage. Dans l'épingle, tourner à gauche après le ruisseau. Contourner par la droite une zone marécageuse pour aboutir au chalet en ruine de la Greffaz. Remonter la croupe herbeuse à droite par une succession de lacets puis longer la crête sur la droite pour arriver au sommet matérialisé par deux tables d'orientation. Reprendre le sentier direction sud. Il longe la crête puis descend vers le col (1 776 m) d'où il rejoint un large chemin qui descend vers les chalets d'alpage. Aller jusqu'au chalet de la Grande Montagne (2e à gauche, altitude 1 650 m). Suivre le panneau de bois "les Bancs". Le chemin passe derrière le chalet et descend en traversée entre alpages et forêts. Rejoindre, au bas de l'alpage des Bancs, une piste carrossable que l'on suit sur la gauche. Plus bas, à l'intersection, prendre à droite la piste sans grande dénivelée qui retrouve la route du col de Plan-Bois. La remonter sur 500 m pour rejoindre le point de départ.

Observations : si la randonnée semble un peu trop longue, on peut reprendre le chemin de l'aller au fond de la combe, sur le replat. Le sommet est un peu aérien, faire attention aux enfants.

L'alpage de la Greffaz et ses renoncules devant la Tournette

Depuis les arêtes de Sulens, la Dent de Cons et, tout au fond, le massif des Écrins (la Meije est à l'extrême droite).

Lac du Mont-Charvin (2011 m)

DÉPART : parking de "Sous l'Aiguille".

ACCÈS : D 909 par Annecy puis Thônes. Prendre la D 12 jusqu'à Manigod et suivre le vallon du Fier jusqu'au terminus de la route.

HORAIRE GLOBAL : 5 heures.

DÉNIVELLATION : 850 m

NIVEAU : moyen.

CARTE : IGN TOP 25 3531 OT (Megève, col des Aravis).

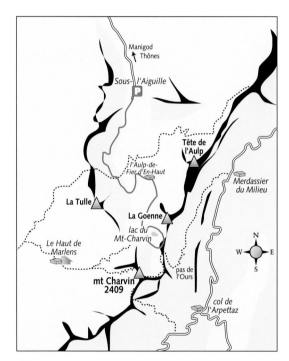

Eugénie Veyraz, seule rescapée de la peste grâce à un bain d'une nuit entière dans les eaux du lac.

On ne découvre le plan d'eau qu'au dernier moment, après avoir grimpé un petit raidillon à travers l'alpage. C'est ici que le Fier, bouillonnante rivière, prend naissance. Quelques pêcheurs viennent y taquiner l'omble chevalier.

Au chalet de l'Aup de Fier-d'En-Haut, on sort la tomme…

Le chemin d'accès à la ferme de l'Aulp de Fier-d'En-Haut (1 756 m) est large et sans danger. Un conseil, arrêtez-vous pour acheter un chevrotin que vous dégusterez au bord du lac, c'est un régal. Après la ferme, c'est un bon sentier de montagne qui mène tranquillement au lac. La rencontre inopinée avec un sympathique troupeau de chèvres distrait au passage petits et grands.

Le lac, riche de légendes et croyances, se niche au pied de l'imposante pyramide du Charvin (2 409 m) dans un ancien cirque glaciaire. Certains prétendent que ses eaux seraient malfaisantes, elles auraient exterminé une famille, épargnant uniquement la mère. D'autres affirment qu'elles auraient au contraire des effets bénéfiques et en veulent pour preuve l'histoire d'une jeune fille de Manigod,

Le lac du Mont-Charvin
devant le sommet de
la Goenne (2 174 m)

ITINÉRAIRE

Il est bien balisé par de petits panneaux de bois. Depuis le parking de "Sous l'Aiguille", traverser la forêt sur un bon chemin empierré qui longe le Fier tantôt sur sa droite, tantôt sur sa gauche. À la sortie de la forêt, continuer par une grande traversée ascendante jusqu'à un replat. Laisser le sentier de droite qui part sur le Freu (panneaux indiquant le tour du Sulens et le circuit d'Orsière) et continuer sur le chemin principal. Quelques dizaines de mètres plus loin, prendre à droite la piste qui conduit au chalet de l'Aulp de Fier-d'En-Haut. Après le chalet (possibilité de refaire le plein d'eau), suivre le sentier qui grimpe sur la droite. Il franchit facilement une petite barre rocheuse. Arrivé dans un vallon (névé en début de saison), prendre à gauche le chemin raide qui zigzague dans les rochers. Le lac ne se découvre qu'au sommet de ce raidillon. Descente par le même itinéraire.

Observations : arrivé au lac, suivre le chemin de droite. Il conduit en 10 minutes à un col offrant une large vue sur le Val d'Arly. De là, le panorama sur le Mont Blanc est magnifique. C'est également le plus joli point de vue sur le lac.

Tour de la Tulle
par le col des Porthets (2072 m)

DÉPART : bout de la route goudronnée après la Savate ou (à vos
risques et périls) 1 km plus loin sur la route carrossable au
parking devant le bar des Fontanettes. Cette route
forestière est réservée aux riverains mais il semblerait que
son utilisation soit tolérée jusqu'aux Fontanettes.

ACCÈS : depuis Annecy, prendre soit la N 508 jusqu'à
Faverges puis la D 12 jusqu'à Serraval, soit la D 909
jusqu'à Thônes puis la D 12 jusqu'à Serraval.
De Serraval, poursuivre sur la D 162 jusqu'au Bouchet.
500 m plus loin prendre à nouveau 2 fois à gauche
pour rejoindre le hameau de la Savatte.

HORAIRE GLOBAL : 4 heures.

DÉNIVELLATION : 850 m

NIVEAU : facile.

CARTE : Top 25 IGN 3531 OT (Megève - col des Aravis).

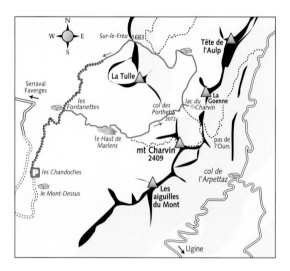

L a Tulle, petite montagne sans prétention (son
sommet dépasse tout juste les 2 000 mètres) est
entourée de sommets plus imposants comme le
Charvin, la Goenne, la pointe de la Mandallaz ou l'aiguille
de Manigod, mais ses belles pentes herbeuses font le
bonheur des alpagistes qui y laissent pâturer tout l'été
vaches, chèvres et moutons. Le chemin passe près de
plusieurs chalets d'alpages où l'on peut déguster tomme,
chevrotin, reblochon et le plus rare "persillé" des Aravis.
Ce petit fromage unique, est fait, selon la tradition, de lait
de chèvre et de mie de pain trempée dans le lait, puis
percé de part en part à l'aide d'une aiguille à tricoter avant
d'être affiné en cave.

**Premières neiges de
septembre dans les
alpages du Haut
de Marlens, dominés
par le mont Charvin.**

Le sentier passe au pied de l'impressionnante paroi Nord du Charvin, inclinée à 50 (voire 55°) et que certains (dont Pierre Tardivel) n'hésitent pas à descendre à ski. Un petit crochet permet de découvrir le magnifique lac du Charvin niché au creux d'une cuvette. Un peu plus haut, le Fier prend sa source.

Fin septembre, cette randonnée nous a fait découvrir un autre visage de la montagne. La veille, une averse de neige avait recouvert rochers et pâturages d'une fine pellicule blanche, uniformisant le paysage. Le sol, encore gelé, craquait sous nos pas. Près du lac, sur la pelouse parsemée de colchiques et de champignons, là où le soleil avait fait fondre la première neige, une marmotte profitait des dernières journées ensoleillées avant de s'endormir dans son terrier. Plus loin, près des fermes d'alpage, les alpagistes s'affairaient autour des chalets : ils pliaient bagages pour redescendre les troupeaux dans la vallée.

L'été est terminé, mais la nature offre encore quelques bonnes journées automnales où le soleil sait se montrer généreux. Bientôt, les tintements des cloches ne résonneront plus dans les alpages. Une ambiance pleine de douceur prépare le long sommeil hivernal de la nature.

ITINÉRAIRE

Suivre la piste jusqu'au bar des Fontanettes. Monter à droite sur le chemin conduisant aux chalets du Haut de Marlens. Traverser la cour et rejoindre le sentier qui part à gauche en direction d'un vallon. Au panneau, prendre à gauche l'itinéraire conduisant au col des Porthets. Remonter la combe en faisant une boucle sur la gauche pour rejoindre un petit col. Longer ensuite la crête puis traverser à droite pour atteindre le col situé entre les contreforts de la Tulle et la face Nord du Charvin. Descendre sur le sentier de l'autre côté. Raide au début, il longe ensuite le flanc droit de la combe. Prendre un sentier sur la droite qui, en quelques ressauts, débouche sur la cuvette où niche le lac. Reprendre la descente de la combe sur un sentier bien marqué. Passer à la ferme de l'Aulp du Fier-d'En-Haut et continuer à descendre sur la piste qui rejoint le chemin principal ; un panneau indique à droite la direction de la ferme de l'Aulp du Fier-d'En-Bas. Quelques mètres plus bas, prendre à gauche le sentier qui grimpe au col du Freu. Deux panneaux indiquent, pour l'un le tour du Sulens et pour l'autre le circuit d'Orsière. Tracé dans une pente assez raide mais bien aménagé, l'itinéraire doit être complètement déneigé pour se faire en toute sécurité. Il faut compter environ 20 minutes pour remonter jusqu'au col du Freu. À la ferme, rejoindre la piste et la descendre jusqu'au point de départ.

Observations : attention en remontant sur le Freu : des troupeaux de moutons et de chèvres se promènent sur les hauteurs et les chutes de pierres sont fréquentes.

Le lac du Mont-Charvin et la Tulle.

Mont Charvin (2 409 m)

DÉPART : bout de la route goudronnée après la Savate ou (à vos risques et périls) 1 km plus loin sur la route carrossable au parking devant le bar des Fontanettes. Cette route forestière est réservée aux riverains mais il semblerait que son utilisation soit tolérée jusqu'au Fontanettes.

ACCÈS : depuis Annecy, prendre soit la N 508 jusqu'à Faverges puis la D 12 jusqu'à Serraval, soit la D 909 jusqu'à Thônes puis la D 12 jusqu'à Serraval. De Serraval, poursuivre sur la D 162 jusqu'au Bouchet. 500 m plus loin prendre à nouveau 2 fois à gauche pour rejoindre le hameau de la Savatte.

HORAIRE GLOBAL : 5 heures.

DÉNIVELLATION : 1 019 m (depuis le parking au terminus de la route goudronnée).

NIVEAU : assez difficile (pente raide et arête au sommet).

CARTE : Top 25 IGN 3531 OT (Megève - col des Aravis).

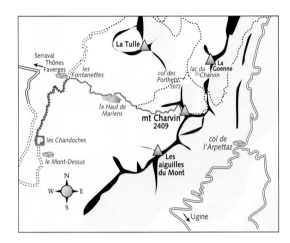

au bar des Fontanettes pour déguster les délicieuses "bougnettes" servies à volonté, accompagnées de salade du jardin et de charcuterie du pays. Marcel se fera un plaisir de vous offrir un petit coup de "pompe à chaleur" et si vous lui demandez, il vous fera découvrir son mystérieux sifflet à marmottes.

ITINÉRAIRE

Prendre la route forestière jusqu'au bar des Fontanettes puis continuer sur le chemin situé en face du bar. Un panneau de bois à l'intersection des deux pistes indique la direction. Le chemin empierré s'élève dans les alpages et passe devant le chalet de l'Aulp de Marlens. Continuer à gauche du chalet en direction d'un vallon. À la bifurcation, laisser à gauche l'itinéraire qui monte au col des Porthets et prendre à droite. Traverser la combe pour arriver au pied d'une grande pente herbeuse entrecoupée de pierriers. Un bon sentier gravit en une succession de virages cette pente assez raide. Il sort sur une épaule à l'extrême gauche de l'arête qu'il faut traverser sur un chemin assez large pour rejoindre le sommet situé à droite. Retour par le même itinéraire.

Observations : bien que relativement aisée, cette randonnée mérite tout de même quelques attentions en particulier avec des enfants. L'arête est assez large mais, par temps de vent ou humidité excessive, il faut rester méfiant. Les bâtons s'avèrent très utiles.

Il est possible, pour les plus téméraires, de monter par le col des Porthets (sentier à gauche à la bifurcation), de descendre sur le lac et de rejoindre une longue arête par endroit très aérienne et comportant quelques passages de petite escalade. Il est conseillé alors de descendre par la voie normale.

B ien qu'un peu éloigné du lac d'Annecy, le Charvin fait incontestablement partie des sommets incontournables de la région. Cette magnifique montagne se dresse vers le ciel telle une pyramide. Elle marque la limite sud des Aravis et offre de son sommet un superbe panorama sur le Mont-Blanc et une bonne partie des Alpes du Nord. L'arête aérienne qui conduit au sommet est très prisée des chèvres et moutons des alpages situés plus bas. Ils gambadent sur l'étroit sentier avec autant d'aisance que les chamois et peuvent malheureusement déclencher quelques chutes de pierres.

La voie normale ne présente pas de grosses difficultés hormis une pente soutenue dans la partie supérieure de la combe et une courte arête aérienne. Les alpagistes du chalet de l'Aulp de Marlens proposent chevrotins et reblochons à la vente. Ils tiennent également un refuge et une petite buvette avec une agréable terrasse d'où l'on peut admirer le Charvin.

Nous vous conseillons de faire au retour une halte

La face Ouest du mont Charvin vue en montant sous les Fontanettes.

Dent de Cons (2 062 m)

DÉPART : parking au terminus de la route.

ACCÈS : depuis Annecy, suivre la N 508 jusqu'à Faverges puis Ugine. Au rond-point, prendre à droite en direction d'Albertville puis tout de suite à droite direction Marthod. Monter au chef-lieu et suivre la direction du Villard puis le Trou du Cayon.

HORAIRE GLOBAL : 6 heures.

DÉNIVELLATION : 1 160 m

NIVEAU : difficile. Pente soutenue, arrête très aérienne et très longue avec quelques passages délicats.

CARTE : Didier-Richard (Bornes-Bauges) au 1/50 000ᵉ (avec les TOP 25, il en faut plusieurs et il manque encore une partie).

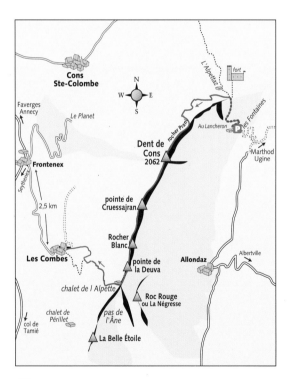

La crête des Rochers de Prani.

La Dent de Cons est considérée comme un massif à part entière. Isolée à l'est des Bauges par le col de Tamié et séparée du Charvin par le sillon de la Chaise, elle forme l'appendice méridional de la chaîne des Aravis. C'est une montagne peu fréquentée par les randonneurs, mais très connue des chasseurs.

Un groupement d'intérêt cynégétique créé en 1981 a permis la réintroduction du chamois sur le territoire. Il

y en a aujourd'hui plus de 200. La chasse est réglementée pour assurer le maintien d'un équilibre entre l'animal et la forêt. Marmottes, aigles royaux et tétras-lyres ont également élu domicile sur le massif. Ces derniers sont recensés chaque année, on en dénombre une quarantaine. Les mâles, noir et blanc, ont une petite crête rouge sur la tête, ils aiment parader sur les derniers névés et sont, à cette époque, facilement repérables. La parade nuptiale se déroule du 15 avril au 20 mai : les mâles dansent, roucoulent et chuintent pour attirer leurs belles.

Au col de l'Arpettaz, un chemin sur la droite conduit au fort de la Batterie. Situé à 1 440 m d'altitude, il a été construit en 1886 sur le sommet d'une falaise pour protéger celui de l'Estal situé 600 mètres plus bas. Il a été construit avec le bois des forêts environnantes, le reste des matériaux étant amené à dos de mulet. En 1998, il est sauvé de la démolition par une association qui assure les visites. Depuis l'esplanade du fort, on peut profiter d'un joli panorama sur le Charvin et, moins attractif, sur le fond de la vallée où bourdonne la ville d'Ugine.

Une traversée à ne pas mettre entre toutes les mains.

ITINÉRAIRE

Prendre la piste forestière en haut du parking qui, après quelques lacets dans la forêt, sort sur l'alpage de l'Alpettaz. D'ici, 5 km de crêtes aux arêtes plus ou moins effilées aboutissent au col de l'Alpettaz. Suivre le chemin de gauche qui traverse plein sud le flanc est de la montagne puis, par quelques ressauts, rejoint le fil de l'arête peu avant les rochers de Prani. Après le passage d'un petit col et l'escalade facile de quelques rochers, atteindre le sommet et sa curieuse table d'orientation en marbre noir. Poursuivre sur une sente bien marquée jusqu'à un autre petit col d'où un itinéraire permet le retour au parking par le creux du Cayon. À partir de là, creux et bosses se succèdent sans jamais lasser, mais le parcours demande une attention

Au départ de la traversée, vers les granges des Fontaines.

permanente. L'arête n'est parfois large que de 30 cm et le vide est assez impressionnant. Des câbles équipent les passages les plus escarpés. Pas moins de trois sommets assez marqués jalonnent cet itinéraire : la

pointe de Cruessajran, le Rocher Blanc et la pointe de la Deuva qui annonce la fin de la course. Du col de l'Alpettaz, suivre à droite l'itinéraire qui redescend au hameau des Combes (randonnée n° 26).

Observation : itinéraire délicat demandant une bonne maîtrise du vide, à proscrire par temps d'orage, de pluie, de neige ou de gel. Malgré tout, le parcours est unique et riche en sensations. À ne pas mettre entre toutes les mains…

La Belle Étoile (1843 m)

DÉPART : premier virage de la route forestière des Combes, au sud-est de Seythenex.

ACCÈS : depuis Annecy, suivre la N 508 jusqu'à Faverges puis la D 12 (direction Seythenex). Après Frontenex, prendre à gauche une petite route conduisant aux Combes puis, au village, la route à droite après l'église, direction l'Alpette.

HORAIRE GLOBAL : 4 heures.

DÉNIVELLATION : 840 m

NIVEAU : assez difficile (passages délicats et arête).

CARTE : Top 25 IGN 3432 ET (Albertville).

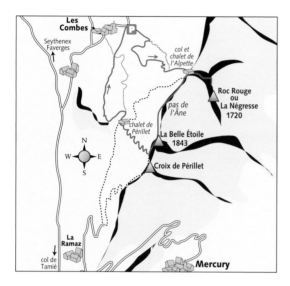

Quel beau nom pour une montagne, et quel beau sommet ! Bien que d'une altitude peu élevée, la Belle Étoile est un merveilleux belvédère situé entre Albertville et Faverges. Au sommet, une table d'orientation datant de 1913 permet de mettre un nom sur les multiples sommets qui nous entourent : les Bornes avec la Tournette au premier plan, les Bauges avec la Sambuy, la montagne du Charbon, l'Armène, le Péclod, la Coche…

De nombreux troupeaux de chamois ont élu domicile sur les flancs est de la montagne et le spectacle des petits éterlous trottinant aux côtés de leurs mères est un moment de pur bonheur.

Cette randonnée en circuit commence par une montée tranquille dans la forêt. Seule la présence de lignes à haute tension gâche un peu le panorama. Au col de l'Alpette, un petit refuge est ouvert et à disposition des randonneurs. Si vous désirez y dormir, prenez bien tout ce dont vous avez besoin car l'intérieur, pourtant très propre, est des plus rudimentaires. La montée vers la croix suit l'arête et de nombreux passages aériens – même carrément alpins – jalonnent le sentier. Au retour, le sentier qui conduit au chalet de Périllet a été taillé en 2001 par l'ONF. Il est très agréable et se termine au chalet d'alpage où l'on peut acheter une délicieuse tomme de chèvre "bio".

ITINÉRAIRE

Suivre la piste du milieu (dans le virage) qui monte vers la forêt. Un panneau de bois peu visible indique la direction de l'Alpette. Traverser le gué et prendre le premier sentier qui monte à droite dans la forêt. Il longe le torrent en prenant progressivement de l'altitude. Au croisement, continuer tout droit. Traverser le torrent à sec en diagonale pour trouver rive gauche un sentier qui traverse à flanc de forêt. Il récupère bientôt un ancien chemin qui fait de grands lacets dans la forêt et débouche sur un pré couvert de géraniums et de boutons d'or. Au col de l'Alpette (1 580 m), prendre à droite en direction de l'arête. Le sentier passe sur une croupe boisée puis devient plus aérien avec quelques traversées sur rochers que l'on franchit à l'aide d'un câble. Le sommet est matérialisé par une croix et une table d'orientation.

Pour redescendre, suivre le chemin qui part vers le sud. Dans un petit col, emprunter un sentier bien marqué sur la droite. Un panneau indique l'alpage de Périllet. Le chemin de terre zigzague dans la forêt jusqu'au chalet d'alpage. Descendre la piste forestière sous le chalet. Au croisement, prendre à droite et garder le chemin principal. Vers le bas, il rejoint une piste ; prendre à droite et rejoindre le point de départ.

Observations : le passage du col de l'Alpette au sommet est déconseillé par temps de pluie, de gel et dans le brouillard (panneau). Le sentier suit une arête parfois vertigineuse. Certaines traversées sur rochers obligent à quelques pas d'escalade aidés d'un câble.

Pour les enfants et les personnes mal à l'aise dans ce genre de terrain, il est conseillé de prendre une petite corde.

Sur le fil de l'arête de
la Belle Étoile. Au fond,
la Dent de Cons.

27

Parc du Mouton (1859 m)

DÉPART : parking de l'abbaye de Tamié.

ACCÈS : depuis Annecy, prendre la N 508 jusqu'à Faverges puis la D 12 en direction du col de Tamié.

HORAIRE GLOBAL ET DÉNIVELLATION : 4 heures - 950 m.

NIVEAU : moyen.

CARTE : Top 25 IGN 3432 ET (Albertville).

Mouflons mâle et femelle.

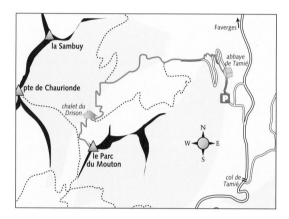

Mais, pas d'inquiétude, elles retournent vers leur maître dès que l'heure de la traite approche. Les randonneurs les plus matinaux auront la chance de rencontrer des chamois, nombreux dans le secteur et, peut-être, un troupeau de mouflons, animaux beaucoup plus discrets originaires de Corse.

ITINÉRAIRE

Du parking, rejoindre l'abbaye puis continuer sur la route goudronnée interdite aux voitures. On peut en éviter une partie en empruntant un petit chemin à droite, dans la 3e épingle. Au bout de la route, suivre la piste forestière. Dans le premier virage, prendre à droite et traverser le ruisseau du Bar. À l'intersection suivante, prendre à gauche jusqu'au chalet du Plan du Tour puis, plus loin encore, à gauche, retraverser le ruisseau et monter au chalet du Drison. Gagner le col du Drison (au-dessus du chalet) et prendre le sentier sur la gauche qui conduit au sommet d'où l'on découvre Albertville et la vallée de l'Isère appelée aussi "Combe de Savoie". Le retour se fait par le même itinéraire.

Observations : pour le retour il est possible de descendre, par une sente, l'arête Sud jusqu'au col du Haut-Four puis de revenir au col du Drison.

Les abords silencieux de l'abbaye de Tamié invitent au calme. On y voit circuler les moines en robes de bure vaquant paisiblement à leurs occupations. Il est très agréable de marcher dans la forêt et d'entendre au loin tinter les cloches de l'abbaye qui les appellent à la prière. Fondée en 1132, à l'époque des brigands de grands chemins, l'abbaye de Tamié recueillait les voyageurs souvent victimes d'attaques de voleurs. Détruite et restée inoccupée pendant 70 ans, elle fut reconstruite à la fin du XVIIe siècle par des Cisterciens venus de Franche-Comté. Seule l'église se visite, mais un spectacle audiovisuel permet de découvrir la vie quotidienne du monastère.

Les moines trappistes fabriquent un fromage au lait de vache, cru et entier, à pâte pressée. Un peu plus gros que le reblochon (environ 20 cm de diamètre et 5 cm d'épaisseur) il reste en affinage durant un mois minimum. Ce fromage appelé "Tamié" a une pâte plus sèche que celle du reblochon. Il est excellent de décembre à avril. Le lait est collecté dans le bassin au bout du lac d'Annecy.

Cette randonnée est placée sous le signe du fromage, avec le "Tamié" au départ de la balade et le délicieux fromage de chèvre du chalet des Drisons. Elle est idéale pour les enfants car, depuis le chalet des Drisons, les chèvres suivent les randonneurs comme des petits chiens.

Au col du Drison.

Montée vers le
Parc du Mouton en
compagnie de deux
chevrettes.
Au fond, la pointe
de Chaurionde.

Pointe de la Sambuy (2 198 m)

DÉPART : parking de la station de Seythenex.

ACCÈS : depuis Annecy, suivre la N 508 jusqu'à Faverges puis la D 12 en direction de Seythenex, La Sambuy.

À Seythenex-village, prendre la route à gauche conduisant à la station.

HORAIRE GLOBAL : 5 heures.

DÉNIVELLATION : 1 050 m

NIVEAU : assez difficile dans la partie finale.

CARTE : Top 25 IGN 3432 ET (Albertville).

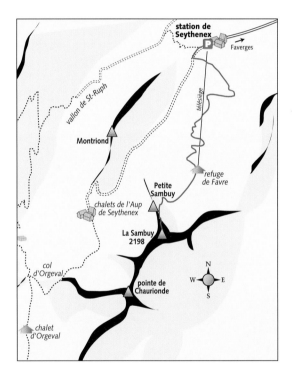

La Sambuy domine la petite station familiale de Seythenex et marque l'entrée du massif des Bauges. Un télésiège 4 places fonctionne de fin juin à fin août, permettant aux moins courageux de se lever plus tard et d'économiser 680 m de dénivelée à leurs mollets. Il arrive au pied de la combe de la Sambuy, à 1 830 m d'altitude. Là, un chalet offre gîte et casse-croûte et propose de nombreux stages à thèmes. Ainsi, après avoir découvert la flore et la faune abondante des Bauges, après avoir dégusté un délicieux repas savoyard, on peut s'initier, le soir venu, à l'astronomie.

La combe est un vrai jardin fleuri où pousse à foison gentianes de l'écluse, gentianes de printemps, anémones, thés des Alpes, rhododendrons, primevères auriculées et bien d'autres fleurs des montagnes.

Du XIVe au XIXe siècle, la montagne a été exploitée, sous l'impulsion des moines de Tamié, pour sa richesse en fer. De nombreuses mines ont fourni, pendant plusieurs siècles, la matière première nécessaire aux martinets et forges de la région. Les forges de Cran, près d'Annecy, ont, à cette époque, connu un développement important.

ITINÉRAIRE

Suivre la piste qui démarre au pied du télésiège, derrière le panneau sur les Bauges. Un autre panneau (en bois) indique les directions de la Sambuy, de l'Aup et de l'Arcalod. Au carrefour, monter complètement à gauche en direction du télésiège. Arrivé à son niveau, emprunter l'ancien chemin à droite et le garder jusqu'au col de la Sambuy. Laisser le télésiège et le chalet sur la gauche et traverser la combe en direction de la Sambuy qui se dresse en face. Au panneau, prendre le sentier qui grimpe à droite de la combe et conduit à la Petite Sambuy. Suivre ensuite celui qui longe la crête sur la gauche pour rejoindre la pointe de la Sambuy par un itinéraire un peu scabreux. Il serpente entre des rochers aux pierres instables. Au sommet, la vue est splendide sur les Bauges et en particulier sur l'enfilade du Péclod, de l'Armène et de Chaurionde. On peut voir le lac sur toute sa longueur ainsi que la ville d'Annecy.

La descente se fait par le même itinéraire. Au début de la combe, au niveau du panneau de bois et des flèches peintes au sol, un sentier fléché part sur la gauche ; il descend au cœur de la combe en parallèle à celui de la montée et rejoint ce dernier au niveau du col.

Observations : la dernière partie pour atteindre le sommet est assez escarpée, certains passages se rapprochant plus de l'escalade facile que d'un terrain de randonnée. Le sommet est aérien. Cette partie finale peut impressionner certaines personnes et s'avérer dangereuse pour les enfants qu'il est plus prudent d'encorder.

Le sommet de la Sambuy est en vue lors de la progression dans une jolie combe garnie de pins à crochets près du refuge de Favre.

Pointe de Chaurionde (2 173 m)

DÉPART : parking de la station de Seythenex.

ACCÈS : depuis Annecy, prendre la N 508 jusqu'à Faverges puis la D 12 en direction de Seythenex. À Seythenex-village, prendre la route à gauche conduisant à la station.

HORAIRE GLOBAL : 4 h 30

DÉNIVELLATION : 1 150 m

NIVEAU : moyen.

CARTE : Top 25 IGN 3432 OT (Massif des Bauges).

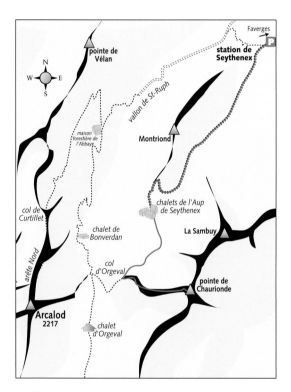

'est une agréable randonnée à la portée de tous, au moins jusqu'au chalet de l'Aup (700 m de dénivelée). Cet alpage est le lieu favori d'un troupeau de mouflons relativement important. Jean François, le berger du chalet de l'Aup, en a compté 84. Hélas, ces mouflons ne correspondent plus à l'image du bel animal trapu aux cornes en spirale que nous avons tous en tête. Les beaux mâles ont tous été tués et il ne reste que des femelles et des jeunes. Les problèmes de consanguinité et des croisements avec les brebis domestiques n'ont pas arrangé les choses. Il est vrai que le mouflon n'est pas un animal originaire des Alpes : il a été amené de Corse et

Du sommet de la pointe de Chaurionde, vue sur l'arête Nord et la Sambuy. Au fond, le lac d'Annecy.

Coucher de soleil au sommet de la pointe de Chaurionde.

bien qu'il se soit adapté, il ne vit pas ici dans son environnement naturel. Jean François monte à l'alpage de mi-juin à septembre. Il aime son métier et, après avoir travaillé dans divers alpages, il apprécie celui-ci qui offre, entre autres, une vue magnifique sur les montagnes environnantes. Les gentianes poussent en abondance autour du chalet, Jean François les transforme en une délicieuse boisson qu'il fait volontiers goûter aux amis de passage. Chaque matin, il se lève à 2 h pour traire les vaches et fabriquer une excellente tomme d'alpage et un sérac qu'il vend aux randonneurs.

La pointe de Chaurionde est une pyramide herbeuse presque parfaite située entre la Sambuy et le Parc du Mouton. Trois de ses quatre arêtes sont parcourues de chemins faciles sur des pentes pourtant soutenues. Elle fait face à l'Arcalod, le plus haut sommet du massif des Bauges.

ITINÉRAIRE

Prendre la piste forestière qui part au fond du parking. Au croisement, suivre celle qui monte à droite. Elle traverse une forêt de grands sapins puis monte dans les alpages. Passer devant le chalet de l'Aup (ou *Aulp* ou *Ô* ou même

Lô ; nous l'avons vu écrit de toutes les façons possibles) et poursuivre sur le chemin qui longe les éboulis de Chaurionde. Il se transforme très vite en un agréable sentier qui passe entre rhododendrons et gentianes. Après une traversée en balcon au-dessus du vallon de Saint-Ruph, au panneau, monter à gauche et laisser le chemin qui continue tout droit en direction du col d'Orgeval. Le sentier longe la crête et rejoint une pelouse assez pentue qu'un bon chemin de terre traverse en quelques grands lacets jusqu'au sommet matérialisé par une croix. Deux autres chemins arrivent au sommet de Chaurionde : l'un du col du Drizon et l'autre du bas de la combe d'Orgeval. Il est possible d'emprunter ce dernier pour la descente puis de remonter au col d'Orgeval pour faire une boucle. Sinon, la descente se fait par le même itinéraire.

Observations : si vous faites cette randonnée au début du mois de juillet, vous profiterez du spectacle grandiose des étendues fleuries de rhododendrons.

Au chalet, faites attention aux cochons en liberté qui vous sautent parfois dessus sans méchanceté. Attention également à ne pas vous prendre les pieds dans les nombreux fils qui traversent le chemin.

La face Est de
la pointe de
Chaurionde et ses
curieuses ravines
vue de la
Sambuy.

Pointe d'Arcalod (2217 m)

DÉPART : parking de la station de Seythenex.

ACCÈS : depuis Annecy, suivre la N 508 jusqu'à Faverges puis la D 12 en direction de Seythenex. À Seythenex-village, prendre la route à gauche conduisant à la station.

HORAIRE GLOBAL : 6 heures.

DÉNIVELLATION : 1 200 m

NIVEAU : assez difficile (escalade facile, passages aériens et chutes de pierres).

CARTE : Top 25 IGN 3432 OT (Massif des Bauges).

L'orchidée "sabot de Vénus".

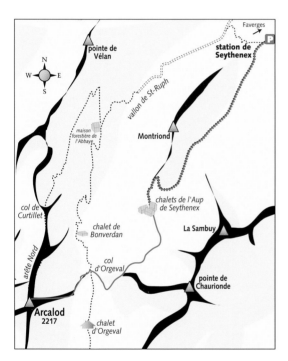

L'Arcalod est le plus haut sommet du massif des Bauges. Son immense paroi de calcaire se dresse au-dessus du col d'Orgeval et l'on se demande bien comment atteindre le sommet. Le départ du sentier se devine, serpentant entre plaques herbeuses et rochers, puis il disparaît dans les dédales des roches calcaires. Après un début de randonnée bucolique au cœur des alpages fleuris où paissent tout l'été de nombreux troupeaux de vaches, l'ambiance devient franchement alpine après le col d'Orgeval. Le sentier est toujours très bien marqué, mais il traverse plusieurs escarpements, obligeant à quelques pas d'escalade. Entre ces passages de dalles et de cheminées, l'itinéraire traverse quelques vires proposant des points de vue saisissants. Bien que

ne présentant pas de réelles difficultés techniques, l'endroit peut s'avérer dangereux, surtout en cas de brouillard ou de pluie.

Le col d'Orgeval abrite de nombreux troupeaux de chamois ainsi que des mouflons. En 1950, le conseil supérieur de la chasse créa une réserve nationale de la chasse, interdisant formellement d'abattre des animaux sur les quelque 500 hectares protégés de forêts, de pâturages et de roches. Cette réserve d'animaux était destinée à favoriser le développement des grands mammifères. Certains animaux étaient même prélevés pour repeupler d'autres zones de montagne. En 1977, une maladie affecta les chamois, les rendant aveugles et les vouant à une mort certaine. Plus de 200 chamois périrent de cette maladie.

ITINÉRAIRE

Suivre la piste forestière qui part au fond du parking. Au croisement, prendre à droite. Traverser la forêt de grands sapins, puis monter dans les alpages. Passer devant le chalet de l'Aup et poursuivre sur le chemin qui longe les éboulis de Chaurionde. Après un passage en balcon au-dessus du vallon de Saint-Ruph, laisser sur la gauche le sentier qui monte à Chaurionde et descendre au col d'Orgeval. Après une douce descente entre les buissons (environ 150 m de dénivelée), rejoindre le col d'Orgeval. Continuer tout droit jusqu'à un autre col bien marqué au pied de la face. La randonnée devient alors plus alpine. Vires et dalles de calcaires alternent et obligent à de nombreux passages d'escalade facile. Le rocher est bon et les prises nombreuses. Il faut environ une heure pour franchir la paroi rocheuse et atteindre, par l'arête Sud, la pointe matérialisée par un cœur de métal au sommet d'un mât. La descente se fait par le même itinéraire.

Observations : cet itinéraire est très fréquenté et les chutes de pierres sont nombreuses : prudence. Il est recommandé d'encorder les enfants et les personnes mal à l'aise sur un tel terrain (passages exposés).

Passage délicat sur
l'arête de l'Arcalod,
non loin du sommet.
Au second plan,
le mont de la Coche.

Les chalets et le
col d'Orgeval.
À droite, l'Arcalod.

31

Pointe de Vélan (1766 m)

DÉPART : Saint-Ruph, parking à droite quelques mètres avant la fin de la route (en face d'une grosse ferme).

ACCÈS : depuis Annecy, suivre la N 508 jusqu'à Faverges puis la D 12 en direction de Seythenex. Prendre la première petite route à droite, direction Saint-Ruph.

HORAIRE GLOBAL : 5 heures.

DÉNIVELLATION : 870 m environ.

NIVEAU : moyen.

CARTE : Top 25 IGN 3432 ET (Albertville).

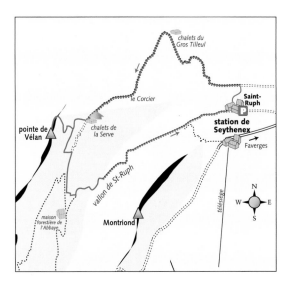

Voilà un itinéraire d'une grande diversité et qui propose tout au long des paysages grandioses. C'est aussi l'occasion de découvrir dans la forêt un ancien four mobile datant de 1940, utilisé autrefois pour fabriquer le charbon de bois. Matière très précieuse pendant des siècles, le charbon de bois était utilisé comme combustible pour se chauffer, cuire les aliments, produire et travailler les métaux.

À l'époque de l'essor industriel, la demande en charbon de bois fut telle que toutes les forêts françaises furent exploitées pour fournir des bois ligneux comme les taillis, utilisés pour la carbonisation. Les charbonniers vivaient dans la forêt avec leur famille. Ils entassaient le bois en meule, le recouvraient de terre, creusaient une cheminée en son centre et des aérations à la base pour améliorer le tirage. Le bois était "cuit à l'étouffé" sous haute surveillance. Il fallait 24 heures pour transformer le bois en charbon. L'arrivée des fours mobiles métalliques a bien facilité les choses.

ITINÉRAIRE

Prendre le chemin signalé par un panneau "Saint-Ruph-Vélan". Il longe les granges de Saint-Ruph, tourne à droite puis pénètre à gauche dans une plantation d'épicéas. Suivre un balisage vert peint sur les arbres. Grimper dans une forêt de feuillus et rejoindre un large chemin. Le remonter jusqu'au premier replat et prendre un sentier à droite qui se dirige vers la falaise. Il longe cette dernière sur une vire très agréable qui offre un très beau point de vue sur la Sambuy, l'Arcalod, le Trélod et la pointe de Vélan. Selon l'éclairage, un visage sévère se dessine dans la falaise et semble surveiller la forêt. C'est le passage aux Fées. Au bosquet de hêtres, prendre à droite et suivre les balises vertes. Franchir des barbelés et retrouver sur la droite un chemin forestier qui conduit aux chalets d'alpages. À partir de là, il n'y a plus de balises vertes. Le chemin passe à la ferme du Gros Tilleul et monte sur un petit plateau (1 501 m). De là, la vue est magnifique sur le Mont-Blanc. Un banc et une table ont même été installés pour mieux profiter du panorama. Traverser le plateau du Corcier entouré de sapins et parsemé de nombreuses petites mares. Traverser la forêt et redescendre légèrement sur l'alpage et le gîte de la Servaz (1 470 m) situé au pied de la pointe de Vélan. Traverser la cour du refuge et suivre la piste qui part sur la droite puis revient à gauche au-dessus du chalet. Au niveau du réservoir d'eau (à gauche), prendre à droite une petite sente peu visible. Elle revient complètement sur la droite et passe entre un bosquet de vieux sapins. Attention à ne pas prendre un sentier situé quelques mètres plus loin, beaucoup plus visible et s'enfonçant dans les feuillus. Traverser les pentes sud-est puis nord-est assez raides et longer la crête nord pour atteindre le sommet de la pointe matérialisée par une croix. Le panorama est magnifique sur le lac d'Annecy, la Tournette, les Aravis, le Mont-Blanc, et les montagnes des Bauges. Redescendre par le même itinéraire jusqu'au chemin. Descendre à droite et rejoindre, après un virage en

Une randonnée
panoramique à la pointe
du Vélan, au-dessus
du chalet de la Serve et
de la vallée de Faverges.
Au fond, le mont Blanc.

épingle-à-cheveux, le chemin qui vient du refuge. Un cairn marque le départ d'un petit sentier sur la droite. Le prendre ; il descend dans les alpages puis serpente dans un agréable sous-bois. Arrivé sur un replat, au pied d'un petit pierrier, il se perd un peu ; on le retrouve à droite du pierrier, se dirigeant vers le sud. Il rejoint la route forestière menant au col d'Orgeval. Descendre la route, traverser la rivière sur la passerelle et la longer jusqu'au parking.

Observations : quelques endroits un peu aériens dans l'alpage au-dessus du gîte. À la descente, il faut absolument consulter la carte, certains passages étant peu évidents.

Pointe de Banc Plat (1 907 m)

DÉPART : parking au niveau du panneau sur les Bauges sur la route de la combe d'Ire.
ACCÈS : depuis Annecy, prendre la N 508. Dans le village de Doussard, prendre à droite la D 181 jusqu'à Chevaline, continuer jusqu'au terminus de la route forestière.
HORAIRE GLOBAL : 5 h 30
DÉNIVELLATION : 1 130 m
NIVEAU : moyen.
CARTE : Top 25 IGN 3432 OT (Massif des Bauges).

Une ancienne chaudière
à charbon de bois

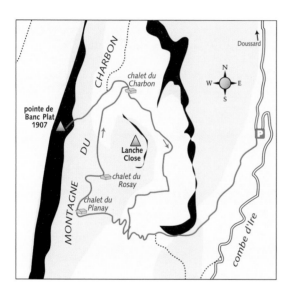

Les falaises calcaires de la montagne du Charbon se dressent au-dessus d'une épaisse couronne de forêt. Ce nom est un mystère, mais on peut supposer qu'autrefois les bois des grandes forêts de la combe d'Ire étaient transformés sur place en charbon de bois, comme en témoignent aujourd'hui les traces d'anciennes "places à charbon". Avant 1930, la combe d'Ire ressemblait à une immense forêt vierge. Aucune piste ne permettait d'y accéder. Ce n'est qu'en 1931 et 1952 que furent construites des routes forestières. La rivière l'Ire prend sa source au col de Chérel et descend toute la combe, causant parfois de gros dégâts dans les exploitations forestières lors de crues violentes.

La forêt et les alpages de la montagne du Charbon abritent une faune discrète de chevreuils, sangliers, renards, hermines et gélinottes. On peut également surprendre le chamois ou même un troupeau de mouflons corses paissant au soleil. Si vous n'avez pas le plaisir d'une telle rencontre, vous aurez à coup sûr la joie d'être accompagné pour un petit bout de chemin par quelques joyeuses chèvres chamoisées toutes contentes d'avoir un peu de compagnie. Le chalet de Rosay propose de délicieuses tommes de chèvre à la vente. Il est possible de passer une nuit dans le chalet du Planay ou du Charbon qui sont des refuges non gardés mais ouverts toute l'année.

ITINÉRAIRE

Prendre la route goudronnée et continuer sur le chemin qui longe la rivière. Un panneau "circuit du Charbon" marque l'entrée du chemin. Traverser la rivière et monter dans la forêt. Passer devant la cabane (fontaine du Fayard). À la patte d'oie, prendre à gauche direction "Planay". 50 mètres après la traversée à gué, prendre le sentier à gauche (triangle vert clair). Il serpente agréablement, longe puis traverse plusieurs fois la piste forestière (balise) pour déboucher sur une grande cuvette herbeuse au centre de laquelle se niche le chalet-refuge du Planay. Le rejoindre, suivre le sentier qui passe derrière et traverse l'alpage. Après un bref passage dans la forêt, il rejoint un chemin carrossable qui conduit au chalet du Rosay que l'on contourne par la droite pour remonter une grande combe. Au panneau "la Combe", continuer tout droit sur une piste non balisée qui fait une large boucle sur la gauche et rejoint un chemin de crête qui domine un vallon au fond duquel se niche le nouveau refuge de la Combe. Récupérer un bon chemin qui en vient pour atteindre la pente finale et le sommet.

Redescendre par le même itinéraire jusqu'au panneau "la combe". Prendre le sentier qui plonge entre deux rochers et sort sur un alpage. Rejoindre le chalet-refuge du Charbon, puis descendre la combe en direction des panneaux. Le passage pour sortir de cette combe se situe sur la gauche (balises vertes). Le sentier bifurque sur la droite, traverse des alpages et rejoint une piste forestière. Descendre à droite. 150 m après le panneau indiquant le Rosay, prendre à gauche un sentier marqué par un cairn ; il conduit à l'itinéraire de montée. Descendre à gauche jusqu'au parking.

Au sommet de Banc Plat, vue sur les Bornes et le lac d'Annecy.

De gauche à droite : la Sambuy, l'Arcalod et le Trélod vus du du chalet du Planay.

Trélod (2 181 m) et Dent des Portes (1 932 m)

DÉPART : bout de la route de La Chapelle depuis Doucy.

ACCÈS : depuis Annecy, suivre la N 508 jusqu'à Sévrier puis la D 912. Passer le col de Leschaux. À la Charnia, suivre la D 911 jusqu'au pont de la Compôte. Prendre à gauche la D 60, traverser les villages de Doucy, la Chapelle et le Cul du Bois. La route se termine au lieu-dit "les Cornes", à l'orée d'un bois.

HORAIRE GLOBAL : 5 heures.

DÉNIVELLATION : 1 200 m environ au total (Trélod + Dent des Portes).

NIVEAU : moyen.

CARTE : Top 25 IGN 3432 OT (Massif des Bauges).

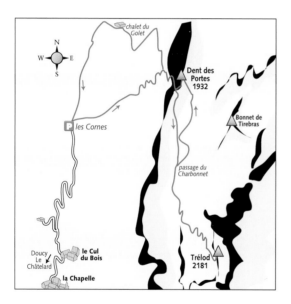

Le village de La Compôte, le Trélod et la Dent de Pleuven.

Le Trélod se dresse fièrement au-dessus du village de Doucy. Ces pentes verdoyantes couronnées de roches calcaires sont très représentatives du massif des Bauges. Beaucoup de randonneurs partent aux aurores ou dorment sur place pour assister au lever du soleil depuis le sommet : un moment inoubliable.

Une balade au Trélod est souvent l'occasion de rencontrer des chamois. Plus rare, et surtout plus discret, le mouflon des Bauges aime fréquenter cette partie du massif. Ce gros mouton aux superbes cornes spiralées nous vient de Corse et a été introduit dans les Bauges en 1954. Paradoxalement, si, sur le continent, l'espèce n'est plus en danger d'extinction, elle est en très nette régression sur l'île de Beauté par suite du braconnage.

Les granges
de la Taillette à
La Compôte.

Au Trélod, en descendant au passage du Charbonnet. À droite, la vallée de Doucy et le Colombier d'Aillon.

Les mouflons vivent en groupes familiaux d'une vingtaine d'individus sous la tutelle d'une vieille femelle. Ils passent la majeure partie de leur temps à brouter et à ruminer. Il est fréquent de les voir en pleine sieste, étendus sur une pierre chauffée par le soleil. À l'inverse des bouquetins et des chamois, ils ne demandent pas un espace vital important : 5 km de rayon leur suffisent amplement. Ces animaux paisibles et sociables sont plutôt acclimatés aux faibles altitudes, mais ils se sont adaptés à la montagne pour échapper aux chasseurs. Ils n'ont finalement qu'un seul ennemi : l'homme…

ITINÉRAIRE

Emprunter le chemin forestier sur environ 50 mètres et prendre le premier sentier sur la droite. Il remonte les alpages, passe entre des bosquets de noisetiers et de framboisiers, traverse une forêt de hêtres puis de petits bois de feuillus. Ce sentier de terre peut s'avérer très glissant par temps humide. Il croise sur la gauche l'itinéraire venant du chalet du Golet puis serpente sous les rochers abrupts de la Dent des Portes qui nous montre, plus loin, un profil impressionnant. Le sentier longe le flanc d'une crête herbeuse pour déboucher aux chalets du Charbonnet. On découvre alors la pyramide du Trélod au fond, à gauche. Rester sur la crête pour descendre au passage du Charbonnet. Cette traversée au sommet de pentes herbeuses très fleuries est très agréable et offre fréquemment le spectacle de quelques troupeaux de chamois et de mouflons. Le sentier serpente dans la face herbeuse puis entre les rochers pour atteindre le sommet d'où la vue est magnifique.

Pour le retour, se diriger directement vers le chalet des gardes. Remonter le petit col à gauche, au-dessus du chalet, et prendre le chemin de crête à droite. Il rejoint le sentier de la Dent des Portes. Du sommet, que l'on atteint très rapidement, on peut voir le lac d'Annecy. Descente par le même itinéraire.

Observations : la petite boucle supplémentaire pour aller à la Dent des Portes n'est pas obligatoire. Elle est un peu aérienne sur quelques mètres, mais le sentier, bien marqué, ne présente pas de difficulté.

On peut admirer, en montant dans les rochers, quelques edelweiss poussant fièrement dans cet univers minéral. On peut monter ou descendre par le sentier du chalet du Golet, mais cet itinéraire est moins intéressant, moins rapide et moins bien tracé.

La pyramide
sommitale
du Trélod vue
du passage du
Charbonnet.

Crêt du Char (1 468 m)

DÉPART : vers le gîte du Roc des Bœufs à Mont-Devant, au niveau du panneau randonnée.

ACCÈS : depuis Annecy, prendre la N 508 jusqu'à Sévrier puis la D 912. Au col de Leschaux, poursuivre sur la D 10 en direction de Bellecombe-en-Bauges puis Le Mont. Au village, prendre à droite direction Mont-Devant.

HORAIRE GLOBAL : 3 h 30

DÉNIVELLATION : 453 m

NIVEAU : facile.

CARTE : TOP 25 3432 OT (Massif des Bauges).

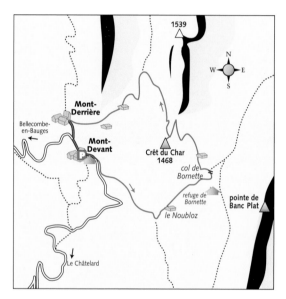

ITINÉRAIRE

Suivre le chemin qui monte à gauche de la route, passe entre deux granges, longe des prés puis grimpe dans la forêt. Il est par endroit empierré, une ancienne pancarte accrochée à un arbre indique "chemin des barrières, vers les écuries de Doucy". Arrivé à une route goudronnée, la remonter jusqu'au terminus, au lieu-dit "le Reposoir". Prendre à gauche après le ruisseau le sentier qui monte dans la forêt (panneaux). Assez raide et caillouteux, il longe un moment le ruisseau puis sort du bois, passe près des granges du Noubloz et tourne à droite en direction du col de Bornette. Au col, prendre à gauche en direction des chalets du Mollard et du Crêt du Char situé juste au-dessus. Le chemin par endroit boueux passe au milieu des chalets et à proximité d'un joli calvaire. Juste après, s'avancer sur la croupe herbeuse pour apprécier un très beau point de vue sur le lac d'Annecy, la Tournette, les Dents de Lanfon et le Parmelan. Le sentier monte ensuite en lacets entre les épicéas clairsemés. Au col, prendre à gauche pour atteindre le sommet du Crêt caché derrière des sapins (panneau). Continuer jusqu'au bout du Crêt pour avoir une vue panoramique sur toutes les Bauges (Trélod, Dent d'Arcluzaz, Colombier d'Aillon, Margeriaz). Revenir jusqu'au panneau du Crêt du Char et descendre en direction de la borne. Longer la forêt puis y pénétrer par un petit sentier qui descend rapidement en une succession de virages. Arrivé à l'alpage de Précheret, descendre sous les chalets en direction de Mont-Derrière (panneau). Le sentier traverse alpages et forêts, longe un joli ruisseau puis devient un bon chemin ombragé. Au carrefour, prendre à droite en direction de Mont-Derrière, descendre, traverser le hameau et prendre à gauche sur la route goudronnée pour rejoindre Mont-Devant et le point de départ.

Observations : randonnée à la portée de tous ; les bâtons sont toutefois conseillés car il y a quelques montées soutenues et de nombreux passages boueux. Le sentier est tout le long très bien balisé par de petits pictogrammes représentant un conifère et un feuillu sur fond bleu.

Ambiance bucolique et champêtre pour cette balade facile qui traverse de nombreux alpages parsemés de petites granges typiquement "baujues" avec leurs grands toits de tôle et leurs panneaux de porte caractéristiques. Au col de Bornette, si l'on dispose d'un peu de temps, il ne faut pas hésiter à s'arrêter un moment à la buvette du refuge de Bornette tenu avec passion par Céline qui propose également nuitées et repas sur réservation. Le refuge est à droite, adossé à la montagne du Charbon, c'est une ancienne ferme d'alpage. Il fait face au Crêt du Char. À 10 minutes de là, à la ferme d'alpage de Fabien, on peut déguster de délicieuses tomes des Bauges faites sur place. Le Crêt du Char est un petit sommet situé entre le Roc des Bœufs et la montagne du Charbon. À droite du Crêt du Char se trouve un sommet sans nom sur la carte : les gens du coin l'appellent le "Four à Magnin". Un sentier balisé en jaune permet d'y accéder. Du sommet matérialisé par une croix, on peut voir le Mont-Blanc.

Le calvaire du chalet du Mollard.

Un arbre foudroyé vers le sommet du Crêt du Char. Au fond, la pointe de Banc Plat.

35

Roc des Bœufs

(1 774 m)

DÉPART : terminus de la route, au sommet du hameau de Mont-Derrière.

ACCÈS : depuis Annecy, prendre la N 508 jusqu'à Sévrier puis la D 912. Au col de Leschaux, poursuivre sur la D 10 en direction de Bellecombe-en-Bauges. Dans le village, emprunter une petite route sur la gauche menant au hameau de Mont-Derrière.

HORAIRE GLOBAL : 4 heures.

DÉNIVELLATION : 744 m

NIVEAU : moyen.

CARTE : TOP 25 3432 OT (Massif des Bauges).

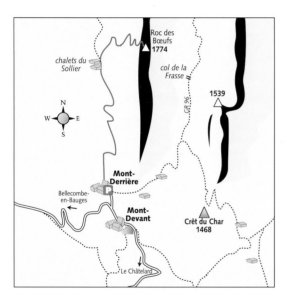

Au milieu des alpages du Roc des Bœufs, les chalets du Sollier.

Cette randonnée au cœur du pays bauju permet de découvrir les maisons traditionnelles du pays. Autrefois couvertes en chaume, les toitures des fermes des Bauges sont aujourd'hui en tôle, avec quatre pans débordant largement pour permettre de travailler à l'abri.

Le chemin du départ monte régulièrement à travers les alpages et passe près de plusieurs granges. Au chalet du Sollier, la famille Dumoulin propose à la vente une tome des Bauges (avec un seul *m* pour la différencier des autres tommes) absolument délicieuse, très fruitée et pleine de douceur. Chaque année, de mai à septembre, les vaches sont gardées à l'alpage et la tome faite quotidiennement à la ferme de façon traditionnelle dans un énorme chaudron en cuivre chauffé au bois. Le beurre est brassé manuellement dans une ancienne baratte.

ITINÉRAIRE

Suivre le large chemin qui monte dans les pâturages puis traverse une forêt et un alpage pour arriver au chalet du Sollier. Depuis la ferme, grimper dans le pré à droite en direction d'une petite forêt de sapins, le sentier n'est plus marqué mais on le retrouve au pied des sapins. Le remonter en une succession de virages jusqu'au pied de la falaise. Le chemin est de plus en plus

raide au fur et à mesure que l'on se rapproche du sommet. Lorsque l'on atteint les rochers, suivre les balises jaunes peintes sur la pierre. Le sommet forme une crête que l'on peut suivre d'un côté comme de l'autre. Le sentier de gauche est plus aisé. Il conduit à une sculpture en métal représentant en ombre chinoise un grimpeur. Cette sculpture a été érigée ici en 1986 en souvenir d'un jeune du pays qui a perdu la vie. De là, nous avons une vue plongeante sur le bout du lac d'Annecy, appelé aussi le Petit lac et Faverges. Au premier plan se dresse la Tournette et plus loin le Mont-Blanc, la Vanoise, Belledonne, les aiguilles d'Arves. Le panorama s'étend jusqu'à la Meije et au Dôme des Écrins.

Observations : au sommet, le sentier est étroit et par endroit aérien. Pour le retour, bien reprendre l'itinéraire de montée (suivre les marques jaunes).

Cascade du Pissieu (700 m)

DÉPART : lieu-dit "Vers le Moulin", près de Lescheraines.

ACCÈS : depuis Annecy, prendre la N 508 jusqu'à Sévrier puis la D 912. Passer le col de Leschaux et continuer jusqu'à Lescheraines. Emprunter la D 59 en direction d'Aillon-le-Vieux. À Villaret Rouge, suivre une route à gauche qui descend en direction d'Attily. Le départ de la randonnée est indiqué au bord de la route, sur la droite.

HORAIRE GLOBAL : 1 heure.

DÉNIVELLATION : insignifiante.

NIVEAU : très facile, très court et plat, randonnée familiale.

CARTE : TOP 25 3432 OT (Massif des Bauges).

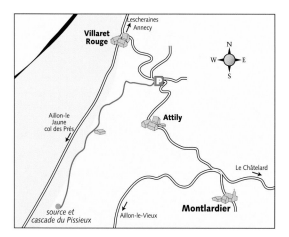

P eu de temps ou de courage ? Alors cette jolie promenade pleine de fraîcheur est pour vous. Elle passe près d'une ancienne fabrique de clous qui fonctionnait du XVIIᵉ au XIXᵉ siècle et comportait un fourneau, un martinet, une forge et une taillanderie. Cette industrie des clouteries des Bauges, très prolifique, avait été créée par les Bénédictins de Bellevaux et les Chartreux d'Aillon.

La cascade du Pissieu jaillit d'une grotte où ressortent toutes les eaux récupérées par le plateau du Margeriaz situé à une dizaine de kilomètres. On peut découvrir, au gré de la balade, des fossiles d'oursins datant de l'ère secondaire, et plus aisément, à partir de juillet, de jolis cyclamens, fleurs-symboles des Bauges. Au début du siècle dernier, les enfants du pays se levaient vers 2 ou 3 h du matin pour les cueillir et les vendaient aux curistes d'Aix-les-Bains et aux touristes d'Annecy. Cette belle fleur au parfum envoûtant avait la propriété de soigner les "maladies de la femme". On l'appelait le "pain du pourceau", car les cochons adorent manger son bulbe. C'est aujourd'hui une plante protégée.

La cascade du Pissieu se jette dans le ruisseau d'Aillon.

ITINÉRAIRE

La balade commence sur un large chemin entre feuillus et prairies dominé par l'austère face Nord de la Dent de Rossanaz. La rivière du nant d'Aillon, dans laquelle se jette l'eau de la cascade du Pissieu, n'est jamais très loin sur la gauche. Le chemin, largement ombragé, est pratiquement plat. Il laisse les bâtisses du Martinet sur la droite pour entrer dans la fraîcheur d'une

forêt. Quelques sentiers partent sur la gauche pour rejoindre la rivière mais tous retrouvent le chemin principal avant d'arriver à la cascade. Un sentier monte le long de celle-ci et permet de voir l'entrée de la grotte. Le retour se fait par le même chemin, mais il est possible de poursuivre la balade en faisant une boucle. Pour cela, suivre l'itinéraire qui remonte la forêt jusqu'à la D 59 qu'il traverse pour rejoindre l'ancienne route d'Aillon appelée le chemin de la Verrière, parallèle à la route. Il redescend ensuite sur le village du Villaret Rouge, puis rejoint le point de départ de la randonnée (dénivelée légèrement plus importante dans cette version).

Observations : en prenant l'option circuit, il faut compter une petite heure supplémentaire.

Le chemin est fléché et jalonné de panneaux explicatifs. Une simple paire de baskets fera l'affaire.

Réserve du Bout du Lac (450 m)

DÉPART : petit parking sur le chemin à droite de la route de la vieille église (panneau de la réserve naturelle).

ACCÈS : depuis Annecy, prendre la N 508 jusqu'au rond-point de Doussard puis à gauche la D 909 direction Talloires. Avant Verthier, emprunter la petite route sur la gauche (route de la vieille église) sur environ 200 m.

HORAIRE GLOBAL : 2 heures.

DÉNIVELLATION : nulle.

NIVEAU : très facile, plat et court (environ 4 km).

CARTE : Top 25 IGN 3431 OT (Lac d'Annecy).

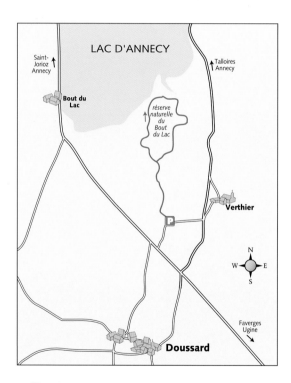

C'est un milieu fragile qu'il convient de découvrir avec respect. Zones marécageuses et forêts se côtoient et abritent la plus grande roselière terrestre et aquatique du lac. La flore y est très intéressante : on a dénombré 433 espèces végétales différentes dont 9 d'orchidées. Environ 2000 oiseaux aquatiques venus de l'Europe du nord viennent se reposer sur les berges du lac. Grenouilles rousses, grenouilles rieuses, crapauds communs et de nombreux reptiles ont également élu domicile dans la réserve. La loutre a complètement disparu. Elle a été remplacée en 1972 par la réintroduction de

Depuis la tour-observatoire de la réserve du Bout du Lac, vue sur la montagne du Charbon à gauche et le Roc des Bœufs à droite.

À Doussard, le long de la rivière Eau Morte.

trois familles de castors "Fider" qui se sont très bien adaptés. Leurs travaux ne passent pas inaperçus : un arbre taillé en pointe, des tiges blanches entièrement écorcées, une petite hutte de branches accumulées au ras de l'eau témoignent de la présence d'une famille dans les parages. Il est difficile de les observer car ils travaillent la nuit.

La balade est jalonnée de panneaux explicatifs et ne présente aucune difficulté. Dans la première forêt, on remarque une ancienne croix érigée sur la gauche du chemin. Elle a été retrouvée ensevelie sous les marais à l'endroit même où se trouvait autrefois l'ancienne église de Doussard. La "tour ruinée" située au bord du lac est le dernier témoin d'une ancienne maison forte qui commandait le port du Vivier pour le transport des grains du Genevois à la Savoie.

ITINÉRAIRE

Un large chemin traverse un pré puis pénètre dans une forêt de feuillus (chênes, frênes, saules, aulnes et autres arbustes). Il longe un moment le cours de l'Ire, rivière qui prend sa source dans les Bauges. Des trouées dans le feuillage laissent entrevoir au loin les Dents de Lanfon. Le sentier quitte la forêt, traverse un marais asséché puis se sépare en deux : rester sur celui de gauche. Retour dans la forêt. Des traverses de chemins de fer forment une agréable chaussée sur pilotis dans les zones humides. Ce passage dans les hautes herbes du marais offre de belles fenêtres sur le lac d'un bleu turquoise. Quelques passages sur pilotis partent sur la gauche et permettent d'accéder au bord du lac. Le chemin principal débouche vers la tour ruinée appelée aussi "tour de Beauvivier". Elle est équipée d'un escalier métallique permettant l'accès au sommet d'où l'on découvre une vue splendide sur le lac et les montagnes environnantes : la montagne d'Entrevernes, celle du Charbon, le Roc des Bœufs, Chaurionde, la Sambuy, l'Arcalod, et le mont Veyrier. Reprendre le chemin qui plonge dans la forêt et suit la rivière Morte. C'est ici qu'il y a le plus de traces d'activité du castor. Un sentier longe la rivière puis ressort sur le marais où alternent sentier de terre et pilotis jusqu'au croisement avec le chemin de l'aller.

Observations : promenade idéale à faire à n'importe quel moment de la journée, car elle est largement ombragée et bénéficie de la fraîcheur des rivières et du lac. Le seul inconvénient vient des moustiques : peaux fragiles, prévoir un répulsif.

Pour cette balade sur terrain plat, une simple paire de baskets fera l'affaire.

Boucle du Mariet (1 007 m)

DÉPART : quelques mètres derrière un virage en épingle-à-cheveux sur la route après Montagny et Arith, près de Lescheraines.

ACCÈS : depuis Annecy, suivre la N 508 jusqu'à Sévrier, puis la D 912. Passer le col de Leschaux et continuer en direction de Lescheraines. Au Pont, quelques kilomètres avant Lescheraines, prendre à droite la D 62b en direction d'Arith, Bouchigny et Montagny puis, à la sortie du village, à gauche. Continuer sur une piste carrossable.

HORAIRE GLOBAL : 3 heures.

DÉNIVELLATION : 210 m

NIVEAU : facile.

CARTE : Top 25 IGN 3432 OT (Massif des Bauges).

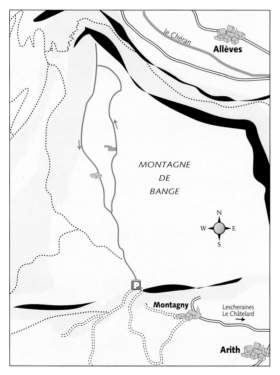

Cette balade sans aucune difficulté s'adresse vraiment à tout le monde, petits et grands. Le très beau chemin menant au vallon est empierré et l'on devine sur les pierres blanches le creux laissé par les traîneaux, luges ou chariots qui l'ont emprunté durant des années. Il monte tranquillement jusqu'à une sorte de cirque végétal magnifique donnant l'impression d'être au bout du monde. Le vallon, autrefois utilisé en alpage, est parsemé de fermettes typiques de l'architecture des Bauges : des petites bâtisses de pierre très trapues couvertes d'un large toit en tôles. Aujourd'hui, ces fermes d'alpage sont joliment restaurées (pour la plupart) et

servent de résidences secondaires dans ce lieu paisible au cœur de la nature. Un large chemin creusé et par endroits empierré traverse le vallon et permet de les admirer de plus près. Il ne faut pas hésiter à venir en ces lieux très tôt le matin. Les plus courageux auront peut-être la chance de surprendre ainsi quelques lièvres batifolant ou des cerfs et leur famille venus se désaltérer au bord du petit lac entouré de bancs de bois.

Le sentier, très bien balisé, conduit à travers une grande forêt de feuillus et de résineux jusqu'à un point de vue sur les tours Saint-Jacques, au pied du Semnoz, et le pont de l'Abîme qui enjambe le Chéran. Au fond, sur la gauche, on découvre la plaine de l'Albanais et la montagne de Mandallaz. Sur la droite, le village de Bellecombe-en-Bauges se niche au centre d'un vallon et au pied du Roc des Bœufs.

Le lac des granges de Mariet-Dessous et la montagne de Bange.

Vue sur le pont de l'Abîme depuis la montagne de Bange.

ITINÉRAIRE

Monter sur le chemin à droite au-dessus du parking. À la croix de bois, prendre à droite et rester sur la piste principale. En vue du vallon, un petit panneau indique un sentier qui plonge sur la droite, l'emprunter, il longe les prés en lisière de forêt. Le lac, niché dans un creux du terrain, se découvre au dernier moment. Poursuivre sur le sentier qui s'enfonce dans la forêt, en suivant les balises vertes et jaunes. Après une courbe sur la gauche, le sentier croise une piste ; prendre à droite pour rejoindre le point de vue situé au sommet d'une falaise et distant d'environ 200 mètres. Faire quelques mètres sur la gauche pour découvrir le panorama. À la descente, laisser sur la gauche le sentier d'arrivée et continuer tout droit. À la patte d'oie, prendre à droite en suivant le panneau "Mariet retour". Au niveau du pré, continuer tout droit pour traverser le vallon sur un agréable chemin au milieu des granges et retrouver l'itinéraire du départ.

Observations : on peut prolonger la randonnée en prenant le chemin qui monte sur la droite, juste avant de traverser le vallon. Il conduit à un autre hameau, le Mariet-Dessus. Compter alors 15 minutes de plus. Cette variante rejoint le chemin empierré au niveau de la croix. Attention, le point de vue surplombe une falaise ; ne pas trop s'approcher et surveiller les enfants. Les bâtons ne sont pas nécessaires pour cette randonnée de faible dénivelée.

Sur le Taillefer (648 m)

DÉPART : église de Duingt.

ACCÈS : depuis Annecy, prendre la N 508 jusqu'à Duingt.

HORAIRE GLOBAL : 1 h 30

DÉNIVELLATION : 200 m

NIVEAU : très facile.

CARTE : TOP 25 3431 OT (Lac d'Annecy).

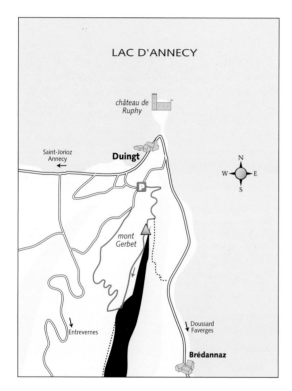

Vue sur le Petit lac, les Dents de Lanfon, le Lanfonnet et la Tournette à travers une trouée de la forêt du Taillefer.

C omme un tentacule du massif des Bauges, le Taillefer se termine sur la presqu'île de Duingt, vestige de l'ancien gué qui coupait, il y a fort longtemps, le lac en deux. À ses pieds se dresse le château de Ruphy, appelé aussi "château Vieux". Telle une sentinelle, il veille sur le lac depuis le Moyen Âge.

Un chemin jalonné d'oratoires aboutit à la grotte de Notre-Dame-du-Lac. Cette statue fut érigée pour remercier la Vierge d'avoir épargné la vie des naufragés d'une barque chargée de houille qui coula en 1854 dans les eaux profondes du lac.

Cette petite randonnée, fraîche et ombragée l'été, peut se faire en toutes saisons, mais la vue y est plus dégagée l'hiver. À chaque virage, le panorama se modifie

Du lac, vue sur le Taillefer et la montagne d'Entrevernes.

et c'est une multitude d'images de cartes postales qui défilent sous nos yeux. Le chemin est taillé dans d'épais fourrés de buis qui obstruent l'horizon, mais quelques trouées offrent des points de vue intéressants sur le lac. chaque fois qu'une vue dégagée se présente, un banc de bois invite à un moment de détente. La montée se donne un petit air méditerranéen avec ses grands pins laricios originaires de Corse, ses mélèzes et ses fourrés de buis.

L'esplanade de Bellevue, épine dorsale de l'éperon du Taillefer, offre une vue unique sur le Petit lac d'un côté et le Grand de l'autre. Le mont Gerbet (638 m) et le Crêt du Bourg (765 m) sont les points les plus hauts de cette longue crête qui aboutit à Entrevernes

ITINÉRAIRE

À gauche de l'église, passer devant l'Office du Tourisme, longer en contrebas la piste cyclable et prendre à droite le chemin bétonné qui mène en une succession d'oratoires jusqu'à la grotte Notre-Dame-du-Lac. Après une petite pause pour admirer la vue

magnifique sur le Roc de Chère et le Grand lac, reprendre, juste avant la grotte, un sentier grimpant dans les buis. Il passe près d'une statue en bronze de l'Archange saint Michel terrassant le dragon (belle vue sur le lac et Annecy) et serpente dans une forêt de pins et de buis.

À 580 m d'altitude, le sentier se divise en deux, suivre celui de droite qui monte en direction d'Entrevernes et débouche sur l'esplanade de Bellevue. Continuer sur le chemin qui longe la crête. Arrivé au point culminant de la balade (648 m) signalé par un panneau indiquant le Taillefer, descendre le sentier à droite en direction de Duingt. En bas de la forêt, prendre à droite, juste avant un pré. Traverser une cour de ferme et reprendre le chemin à droite. Il passe derrière une maison blanche et rejoint la route goudronnée. Descendre en direction de l'église, passer devant l'école d'escalade puis sous la piste cyclable pour retrouver le point de départ.

Observations: c'est une petite promenade familiale très facile et agréable. Une paire de baskets peut suffire.

Dans la descente du Taillefer, vue sur le château d'Héré. Au fond, le Parmelan et, à droite, les Dents de Lanfon.
Le château de Ruphy sur la presqu'île de Duingt devant le Lanfonnet et la Tournette.

Les belvédères de la Grande Jeanne (828 m)

DÉPART : parking du parc animalier à Annecy (parc des daims).

ACCÈS : au sud-ouest d'Annecy, prendre, derrière l'hôpital, la route du Semnoz.

HORAIRE GLOBAL : 2 heures.

DÉNIVELLATION : 160 m

NIVEAU : très facile.

CARTE : TOP 25 3431 OT (Lac d'Annecy).

La montagne du Semnoz est un petit paradis pour les promeneurs. Cette belle forêt de résineux et de feuillus est traversée d'une multitude de chemins de randonnée tous très bien balisés. La balade des belvédères est accessible à tout le monde, la dénivelée étant pratiquement insignifiante. Une succession de belvédères sur un chemin en balcon offre des paysages variés et surprenants. Et puis, c'est tellement agréable et paisible de marcher dans la forêt au milieu d'une bonne odeur de résine et de champignons.

Au dernier belvédère situé à 328 m, on remarque très bien les différents étages de végétation. Au pied du Semnoz c'est une forêt de feuillus dominée par les chênes et les hêtres. Un peu plus haut, une barrière rocheuse semble marquer la limite. Sapins, pins et épicéas prennent ensuite possession du terrain. Au Crêt des Bruyères, deux bancs face à face invitent à la détente devant un paysage magnifique : d'un côté, la campagne d'Annecy et l'Albanais aux formes douces et, de l'autre, la montagne avec la Tournette au premier plan.

ITINÉRAIRE

Traverser le parc animalier et rejoindre le large chemin qui monte en direction du pas de l'Échelle (670 m). C'est le premier belvédère sur Annecy. Il surplombe l'école d'escalade de la Grande Jeanne. Poursuivre en montant à gauche sur le sentier en balcon balisé en rouge. Peu après, le deuxième belvédère offre un nouveau paysage sur le Pâquier et une partie du lac. Le troisième est au

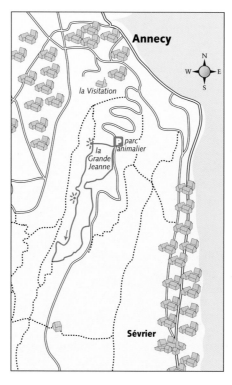

niveau d'une avancée en lapiaz et s'ouvre sur la forêt de pins et d'épicéas. Le sentier traverse ensuite un couvert de pins et arrive à une sorte de rond point matérialisé par un arbre entouré de pierres. De là, plusieurs chemins sont proposés. Prendre celui de la crête toujours balisé en rouge. Au belvédère des gélinottes, la vue s'étend sur la campagne environnante avec au loin le château de Montrottier. Au carrefour suivant, laisser le sentier des Papillons et celui de la clairière et prendre le troisième à droite (il n'a pas de nom). Passer devant le sentier des Chanterelles, puis au dernier belvédère qui offre une vue très dégagée sur Annecy avec, au pied du Semnoz, le château et les vieux quartiers. Encore quelques mètres pour déboucher sur le Crêt des Bruyères, point culminant de la balade. Traverser à flanc pour rejoindre un carrefour. Descendre à gauche en suivant les balises rouges. Le chemin se rapproche de la route puis la longe : c'est le sentier Louis Lachenal. Il remonte ensuite légèrement vers la crête en direction du rond-point du départ. Avant de le rejoindre, prendre à droite (balise rouge). Laisser un peu plus loin le chemin des Sylvains et descendre dans celui de la Combe Noire jusqu'à la route. La descendre sur environ 200 m pour retrouver le parking.

Observations : sur la route du Semnoz, on trouve trois parcs animaliers successifs. Le premier est réservé aux marmottes, le second aux mouflons et le dernier, plus spacieux et mieux aménagé, est le parc aux daims. C'est d'ici que démarre la randonnée.

Une paire de baskets suffit.

Le belvédère de la
Grande Jeanne
au départ de
la balade.

41

Croix de Sainte-Catherine (707 m)

DÉPART : parking au-dessus du hameau de Vovray.

ACCÈS : depuis Annecy, suivre la direction de la Zone Industrielle de Vovray. Prendre ensuite la route de Vovray, traverser le hameau et s'arrêter au parking situé sur la gauche après le hameau.

HORAIRE GLOBAL : 2 heures.

DÉNIVELLATION : 210 m

NIVEAU : très facile.

CARTE : Top 25 IGN 3431 OT (Lac d'Annecy).

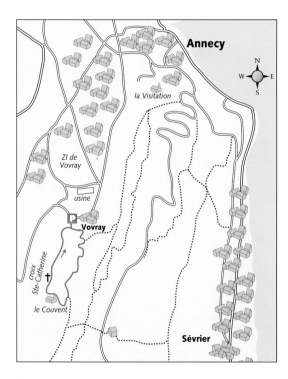

Le Semnoz est considéré comme le "poumon vert" d'Annecy. Sa splendide forêt faisait déjà la fierté des Annéciens au Moyen Âge et leur était exclusivement réservée. À cette époque, elle représentait une grande richesse en bois de menuiserie, d'ébénisterie et en bois à brûler.

Un grand nombre de sentiers très bien balisés permettent de la découvrir, chacun à son rythme. Les essences varient suivant l'altitude. Jusqu'à environ 800 m, le chêne et le hêtre dominent, mais on trouve aussi du châtaignier dans les zones moins calcaires. Plus haut, les feuillus cèdent la place aux conifères, essentiellement des sapins et des épicéas, mais on voit à certains endroits de jolis pins sylvestres, comme au sommet de cette randonnée. De nombreuses zones humides abritent quelques rares espèces d'orchidées, des roseaux et des grassettes.

L'abbaye cistercienne Sainte-Catherine-de-la-Montagne est nichée au cœur d'un petit vallon calme et reposant. Au XIIe siècle, une douzaine de nonnes y accueillaient des jeunes filles de bonnes familles issues des nobles maisons du Genevois. Les sœurs abandonnèrent l'abbaye Sainte-Catherine en 1772. Le seul bâtiment encore debout est équipé d'un abri pour les randonneurs.

La Croix de Sainte-Catherine domine les villes de Seynod et Annecy. Le regard porte sur la campagne annécienne et sur l'Albanais. On devine au loin le passage étroit du Val de Fier au pied de la montagne des Princes. En toile de fond, la silhouette du Colombier annonce le début du Jura.

ITINÉRAIRE

Suivre la piste qui part du fond du parking et remonte un joli vallon boisé en une succession de lacets. Laisser les quelques sentiers qui s'enfoncent dans la forêt et rester sur le large chemin empierré. Au replat, prendre à droite en direction du couvent (panneaux). Le chemin débouche sur une clairière où se dressait autrefois l'abbaye cistercienne. Il n'en reste aujourd'hui que des ruines et une bâtisse en contrebas. Traverser l'esplanade et monter à gauche (panneau) sur un sentier bien marqué qui longe la crête jusqu'à la croix située au sommet d'une falaise. Pour le retour, prendre la sente qui part à droite du sentier d'arrivée, quelques mètres avant la croix. Elle descend sur une croupe boisée. Un balisage orange à chaque intersection permet de suivre la bonne trace. Rejoindre la piste du départ au niveau du premier virage.

Observations : cette randonnée ne présente pas de difficulté. Elle peut se faire l'après-midi sous le couvert de la forêt. La descente par la petite sente est légèrement plus sportive (terrain plus pentu pouvant devenir glissant par temps pluvieux) que le tranquille chemin de la montée.

Dans les ruines du couvent.

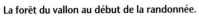
La forêt du vallon au début de la randonnée.

De la croix, vue sur Annecy-sud et la montagne de Mandallaz.

Crêt de l'Aigle (1 646 m)

DÉPART : parking devant l'hôtel du Semnoz.
ACCÈS : depuis Annecy, prendre la direction du Semnoz (D 41).
HORAIRE GLOBAL : 2 heures.
DÉNIVELLATION : 200 m
NIVEAU : très facile.
CARTE : TOP 25 3431 OT (Lac d'Annecy).

L'oreille d'ours.

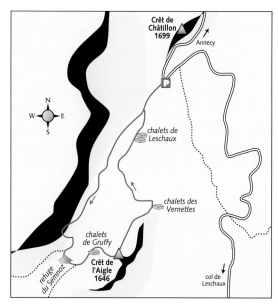

Le plateau du Semnoz est un belvédère exceptionnel sur tout l'arc alpin, de la chaîne du Mont-Blanc à l'Oisans. La plaine de l'Albanais s'étend jusqu'à ses pieds et l'on devine à l'arrière les premiers sommets du sud du Jura. Le lac d'Annecy se dévoile depuis la route d'accès au sommet. La balade proposée nous entraîne au sud du plateau, au cœur de grands alpages que se partagent, de juin à septembre, vaches et chèvres. Les alpagistes fabriquent sur place beurre, chevrotin et la célèbre tome (avec un seul m) des Bauges, qu'ils vendent aux promeneurs. Le Semnoz reçoit les premiers et derniers rayons du soleil, ce qui garantit une qualité de lumière unique. L'ambiance pastorale du site offre des instants inégalables surtout le soir lorsque le soleil se couche à l'horizon, nimbant le plateau d'une lumière mordorée. Le sentier de crête passe sur le terrain réservé à l'aéromodélisme et aux cerfs-volants puis devant l'air de décollage des parapentistes. Il longe l'abîme, offrant plusieurs points

de vue fantastiques. L'hôtel du Semnoz situé à 1 650 m d'altitude est le point de départ de la balade. Il a été construit en 1876, c'était alors l'hôtel le plus haut de France. Les touristes y montaient depuis Leschaux à dos de mulet.

ITINÉRAIRE

Prendre plein sud, à côté de l'hôtel, la piste carrossable qui se dirige vers les chalets de Leschaux. À la patte d'oie, monter à droite sur la piste de crête qui conduit au terrain d'aéromodélisme. Longer la crête. Le sentier redescend et rejoint un bon chemin. Le suivre ou, si l'on préfère le paysage des crêtes, reprendre tout de suite à droite dans les pâturages, le long des barbelés. Dans ce cas, suivre la crête jusqu'à apercevoir en contrebas le refuge et le rejoindre à travers prés. Si l'on suit le chemin, à l'intersection, prendre à droite celui qui descend vers le refuge du Semnoz. Un sentier remonte l'alpage à gauche derrière le chalet. Au niveau du réservoir, prendre à gauche et se diriger vers le chalet d'alpage Dussollier Dagand (chalets de Gruffy). Monter la croupe herbeuse en face du chalet pour atteindre le Crêt de l'Aigle. Ici, la vue est magnifique sur le Mont-Blanc, la Tournette, les Bauges, l'Albanais, le lac du Bourget et la Dent du Chat.

Suivre la crête vers le nord, descendre en suivant le téléski jusqu'aux chalets des Vernettes et remonter sur le chemin à gauche. Au carrefour suivant, prendre à droite en direction de la grosse ferme Aymonier (chalets de Leschaux) puis continuer sur un large chemin jusqu'à l'hôtel.

Observations : pas besoin de bâtons pour cette randonnée facile. Une paire de baskets peut suffire.

Le plateau du Semnoz est un immense alpage quadrillé de nombreuses clôtures pour parquer les vaches et il n'y a pas souvent de passages prévus pour les randonneurs il faut donc souvent enjamber barbelés et fils électriques. Le passage fréquent des vaches a effacé à certains endroits les sentiers mais il est impossible de se perdre dans ce plateau très ouvert (sauf par temps de brouillard).

Les chalets de Leschaux et le plateau du Semnoz.

Un point d'eau réservé aux vaches du plateau et le sommet herbeux du Crêt de l'Aigle.

Autour des tours Saint-Jacques (1 270 m)

DÉPART : place des Cyclamens à Allèves.

ACCÈS : depuis Annecy, suivre la N 201 direction Aix-les-Bains. À Balmont, prendre à gauche la D 5 direction Viuz, la Chiesaz puis Gruffy et enfin Allèves. À l'entrée du village, monter à gauche vers le chef-lieu. La place des Cyclamens se trouve au sommet de la côte.

HORAIRE GLOBAL : 4 heures.

DÉNIVELLATION : 620 m

NIVEAU : facile.

CARTE : Top 25 IGN 3431 OT (Lac d'Annecy).

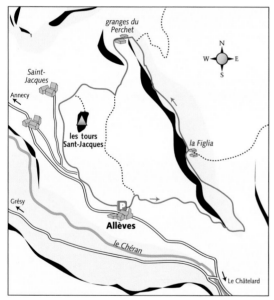

À gauche, les tours Saint-Jacques dominent le défilé de Bange. Au fond, le Trélod.

Cette randonnée tranquille débute par la traversée d'un village paisible de l'Albanais, porte d'entrée du massif des Bauges. Les maisons ont déjà l'architecture si particulière aux Bauges et de nombreux bassins répartis dans le village proposent une eau claire et rafraîchissante. À la sortie du village, le chemin se transforme en une magnifique voie pavée admirablement bien conservée. Ce pavage date du XIXᵉ siècle et fut l'œuvre d'ouvriers italiens aidés par les gens du pays. Il fut construit pour emmener les vaches en alpage et véhiculer bois et fourrages plus aisément. Il fallut plusieurs années pour le réaliser, certains passages ayant dû être consolidés par des murs de soutènement. Le chemin pavé est jalonné d'anciennes granges à foin construites en fustes. Les troncs d'arbres ont été taillés à la hache et assemblés par un

L'auberge du pont de l'Abîme devant les tours Saint-Jacques.

système d'encoche. Au sommet de cette longue montée de la Figlia se trouve un petit refuge entouré de granges. Ouverte à tous, cette petite cabane offre un gîte sommaire (couchage et de quoi se réchauffer un petit repas). Lorsque le chemin longe le bas de la falaise, au début de la balade, retournez-vous de temps à autre pour admirer la vue en contrebas sur le village d'Allèves dominé par les impressionnantes Tours Saint-Jacques. Fantaisie de la nature, ce groupe d'aiguilles de calcaires effilées par le temps surgit de la forêt à 991 m d'altitude.

Vers la fin de la randonnée, un panneau de bois sur la gauche indique un sentier escarpé permettant d'atteindre le pied des tours. Pour mieux profiter du spectacle offert par celles-ci, vous pouvez, après la balade, descendre au pont de l'Abîme. Ce pont suspendu au-dessus du Chéran fut construit en 1887. Il surplombe la rivière de 100 mètres et mesure 66 m de long.

ITINÉRAIRE

Suivre la route qui traverse le village implanté sur le coteau exposé au sud du défilé de Bange, monter entre la mairie et l'église, et continuer jusqu'à la dernière maison que l'on contourne par la gauche. Couper une route pour rejoindre le chemin goudronné situé en face. L'itinéraire est balisé en jaune et orange. Un panneau de bois indique la direction de la Figlia. Continuer sur une piste qui s'approche de la falaise. S'ensuit une longue montée soutenue sur une belle voie pavée en partie restaurée. À la sortie du bois, au niveau du refuge, prendre le chemin de gauche qui traverse à flanc d'alpage. On peut voir les tours Saint-Jacques en contrebas. Après le chalet neuf, laisser l'itinéraire de droite qui monte au Semnoz. La descente est raide ; le chemin débouche dans un pré puis plonge dans une belle forêt de hêtres bordée à gauche par une haute falaise. Un curieux replat abrite une clairière nichée au creux de la paroi. Au replat suivant, prendre le chemin à droite (balise jaune) signalé par un petit cairn. Il débouche bientôt dans les prés de Saint-Jacques. Un panneau de bois indique sur la gauche le sentier escarpé qui conduit au pied des tours. Quelques mètres plus loin, le chemin se sépare en deux : prendre celui de gauche et le suivre jusqu'à la route goudronnée qui rejoint à gauche le point de départ.

Observations : les bâtons peuvent s'avérer utiles pour cette randonnée. Attention, les balises ne sont pas très fréquentes. Si vous loupez le chemin marqué d'un cairn, vous reviendrez quand même à votre point de départ en ayant simplement réduit votre circuit…

En descendant
sous les granges
du Perchet.

Montagne des Princes (920 m)

DÉPART : hameau de Chavanne, petit parking à gauche dans le virage (panneau info).

ACCÈS : depuis Annecy, rejoindre Rumilly puis Vallières, prendre la D 14. Après le village de Val-de-Fier, monter à droite en direction de Crempigny puis à gauche en direction de Chavanne.

HORAIRE GLOBAL : 4 heures.

DÉNIVELLATION : 450 m

NIVEAU : facile.

CARTE : Série Bleue IGN 3330 Ouest (Seyssel).

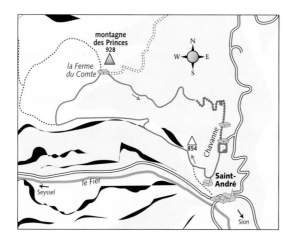

Cette randonnée peut se faire toute l'année car la neige tombe rarement ici. Le sentier bien marqué longe les falaises ; il est constellé de points de vue intéressants. Au sommet, un troupeau prend ses quartiers d'été. Les vaches se régalent d'une bonne herbe grasse qu'elles ruminent en regardant le Mont-Blanc. La descente, plus classique, traverse les alpages et rejoint un large chemin tranquille.

La montagne des Princes est un peu éloignée du lac d'Annecy par rapport aux autres randonnées, mais elle offre un panorama de choix sur les Bornes, les Bauges et la campagne environnante. Après un petit quart d'heure de marche dans la forêt, le sentier débouche sur un promontoire dégagé équipé d'une grande croix. De là, le regard porte loin sur la campagne albanaise faite de plaines et de collines. Elle se termine au pied du Semnoz et des Bauges. À l'est, se dresse l'imposante Tournette entourée de quelques sommets des Bornes qui disparaissent dans la brume. À quelques mètres de la croix, un sanctuaire romain datant du Ve siècle ressort petit à petit de terre grâce à de nombreux bénévoles qui, chaque été, consacrent quelques jours de leur temps libre pour sauver cette chapelle édifiée par les moines de saint Claude vers l'an 450. Derrière le sanctuaire, le paysage est beaucoup plus sauvage avec le défilé du Val de Fier qui serpente entre le Gros Foug et la montagne des Princes. Ce défilé possède un micro-climat qui a permis à de nombreuses plantes méditerranéennes de se développer. On peut même, les soirs d'été, y entendre le chant des cigales.

De la croix de Chavannes, le Val de Fier et le Colombier.

Arc-en-ciel au-dessus du mont des Princes.

Les jonquilles printannières.

ITINÉRAIRE

De Chavanne, suivre le sentier qui traverse un bois puis grimpe à découvert jusqu'à la croix (point de vue). De là, reprendre le chemin d'arrivée sur quelques mètres et monter sur le petit sentier à gauche. Après quelques pas, une sente peu visible part à gauche : elle conduit à une petite esplanade d'où la vue est magnifique sur la chapelle et l'Albanais. Reprendre le sentier qui franchit à la descente un petit col suivi d'un couloir encadré de falaises. S'ensuit une longue traversée ascendante en forêt propice à la rencontre d'un chamois ou d'un sanglier. Suivre le balisage (point jaune). Au sommet d'un raidillon, le chemin croise un sentier perpendiculaire ; le prendre à droite (balisage point jaune), passer devant une cabane de chasseurs et sortir de la forêt. Remonter le pré sur la gauche et retrouver un large chemin qui entre dans la forêt. Lorsque cet agréable chemin amorce une descente, prendre le sentier de droite balisé avec des traits jaunes. Il serpente dans la forêt puis longe le sommet d'une falaise (nombreux points de vue sur le Val, le Gros Foug, le Rhône et le Colombier). Après une courte descente, prendre un sentier qui grimpe à droite (flèche jaune) et le suivre en surveillant le balisage trait ou flèche jaune. Le chemin arrive à une barrière, la franchir et remonter le pré en direction de la ferme. Passer à sa droite et poursuivre en direction de l'étang. Le contourner et descendre tout droit

dans le pré en direction d'un bosquet. Le chemin n'est pas très bien marqué mais dès que l'on atteint le bosquet, on retrouve les balises (trait jaune). Passer à droite des arbres, franchir une barrière et retrouver un large chemin qui passe près de plusieurs cabanes et descend la forêt pour rejoindre le hameau de Chavanne.

Observations : soyez prudents sur les points de vue qui longent la falaise. Restez vigilants pour ne pas manquer une intersection. Les sentiers sont nombreux et certains vous conduiraient de l'autre coté de la montagne.

Montagne de la Mandallaz (899 m)

DÉPART : cimetière de la Balme de Sillingy.

ACCÈS : depuis Annecy, suivre la N 508 en direction de Frangy et Bellegarde. À la Balme de Sillingy, prendre une route sur la droite conduisant au cimetière (panneaux indicateurs).

HORAIRE GLOBAL : 3 heures.

DÉNIVELLATION : 400 m

NIVEAU : facile.

CARTES : IGN top 25 3430 OT (Mont Salève) et 3330 OT (Frangy).

La montagne de la Mandallaz se trouve à la limite des Bornes, du Genevois et de l'Albanais. C'est une petite montagne sans prétention que l'on voit pourtant d'un bon nombre d'endroits. Sa façade Sud-Ouest aux falaises abruptes est infranchissable et c'est par sa face Nord qu'elle se laisse conquérir, par des chemins faciles et très agréables en toutes périodes. L'été, la densité des arbres laisse peu de place aux points de vue, mais les sous-bois offrent une balade fraîcheur très

agréable. L'hiver, les points de vue sont plus dégagés et l'automne attire les amateurs de champignons. Bien que de faible altitude, la montagne de Mandallaz abrite des chamois qui partagent le territoire avec les chevreuils.

Le point de vue proposé est à une petite minute du chemin et vaut vraiment le déplacement. On y découvre Annecy, le lac et la Tournette, un peu des Bornes et des Aravis, le Semnoz, l'Albanais, une partie des Bauges et, au fond, la Chartreuse.

Annecy et la Tournette vus de la montagne de la Mandallaz.

Vue d'ensemble de la montagne de Mandallaz depuis le marais du Puit de l'Homme.

ITINÉRAIRE

Prendre le sentier qui longe le mur du cimetière sur sa gauche. Un panneau en bois indique "les Vernes" et les balises à suivre sont jaunes. Passer un sous-bois au relief agréablement doux. Franchir un ruisseau puis le longer un moment rive droite. Peu après, prendre le chemin qui monte sur la droite et grimpe en direction d'une barre rocheuse que l'on devine entre les arbres. Il tourne à gauche, franchit quelques marches taillées dans la roche et aboutit peu après à la grotte du Curé indiquée par un panneau de bois. Continuer à droite après la grotte pour rejoindre un chemin plus important. Prendre à droite sans tenir compte des balises que l'on retrouvera plus loin. Peu après, retrouver une piste, prendre deux fois à droite et suivre à nouveau les balisages jaunes. Après un virage à gauche, la pente s'accentue nettement jusqu'à une épaule en bordure de la falaise. Retrouver par un détour à gauche le fil de la crête bordé de hêtres. S'ensuit une traversée de forêt vallonnée qui conduit au sommet entouré d'arbres, ne laissant donc voir aucun panorama. Continuer sur le sentier qui redescend de l'autre côté de cette "butte". Tout de suite après, dans une courbe à gauche, prendre un sentier qui grimpe sur la droite pour arriver au point de vue et admirer le panorama. Reprendre le chemin du retour en respectant les balises. Après une descente agréable, le chemin large et bien marqué arrive à la croisée de 4 chemins. Prendre celui de droite. Après environ 250 mètres, dans une ligne droite, prendre un sentier qui grimpe sur la gauche. Il tourne à droite puis à gauche ; rester sur le chemin principal. Lorsque le sentier rejoint un chemin transversal, prendre à gauche. Arrivé à un replat, continuer tout droit jusqu'au panneau explicatif sur le chamois. À cet endroit, un sentier part à gauche, une balise jaune marquée "la Balme" le signale. Le suivre, il passe une clairière puis replonge dans la forêt, revient sur la gauche et rejoint le chemin de la montée au-dessus de la grotte du Curé. Reprendre à la descente ce chemin jusqu'au parking.

Observations : dans la forêt, les sentiers sont nombreux et cette randonnée peut parfois donner l'impression de suivre un jeu de piste. Les chemins sont toujours balisés d'un trait jaune. Lorsque l'on rencontre une croix jaune, c'est qu'on n'est pas sur le bon itinéraire. Attention, il y a une exception : au-dessus de la grotte, nous vous indiquons qu'il faut prendre à droite alors que le chemin est balisé d'une croix, vous allez en fait prendre l'itinéraire à l'envers sur quelques mètres.

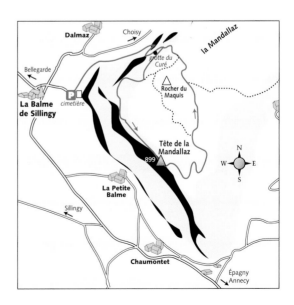

Circuits de plusieurs jours

Partir un beau matin ensoleillé, un gros sac sur le dos contenant tout le nécessaire pour une parfaite autonomie et un relatif confort. Marcher toujours plus loin sans jamais revenir en arrière, traverser des paysages variés, des alpages bucoliques ou des univers minéraux, découvrir la faune et la flore des montagnes et s'arrêter chaque soir dans un refuge, un gîte différent. Rencontrer d'autres randonneurs, échanger ses expériences autour d'une bonne table, discuter comme des amis de toujours sans même connaître les prénoms, et repartir le matin pour une journée pleine de nouvelles images et de surprises. La randonnée sur plusieurs jours, c'est un peu tout cela, et aussi beaucoup d'autres moments passionnants que nous vous laissons découvrir.

Nous vous proposons trois circuits autour du lac d'Annecy : un de 3 jours, un de 5 jours et un dernier de 8 jours. De nombreuses étapes se recoupent avec les randonnées décrites précédemment.

Descente vers le col du Haut-Four.

TOUR DE LA SAMBUY (3 JOURS)

- **DÉPART** et arrivée : terminus de la route du Nant Fourchu.
- **ACCÈS** : à École-en-Bauges, continuez en direction de Jarsy. Après la scierie et le pont, prenez à droite la petite route du Nant Fourchu.
- **NIVEAU** : randonnée facile.
- **CARTE** : Top 25 IGN 3432 ET Albertville.
- Il est possible de faire ce circuit accompagné d'un guide. Se renseigner à la maison du Parc 73 630, Le Châtelard au 04 79 54 86 40 ou Takamaka, 17 faubourg Sainte-Claire à Annecy au 04 50 45 60 61.

Ce parcours est bien balisé, de nombreux panneaux jalonnent le circuit. Il ne présente aucune difficulté ; idéal pour une première expérience de raid.

Possibilité de se restaurer à la station de Seythenex. Les nombreux chalets d'alpage présents sur le circuit proposent divers fromages de vache et de chèvre.

LE CIRCUIT ET SES DIFFÉRENTS HÉBERGEMENTS

- **1er jour** : route du Nant Fourchu - chalets d'Orgeval (04 79 65 45 74)
- **2e jour** : col d'Orgeval - station de Seythenex - gîte d'étape des Marmottes (04 50 44 68 59) (Possibilité de prendre le télésiège du Vargnoz qui part de la station et arrive au gîte)
- **3e jour** : chalet du Drison (gîte d'alpage 06 14 50 45 89) - Le Parc du Mouton - col du Haut Four - parking du Nant Fourchu

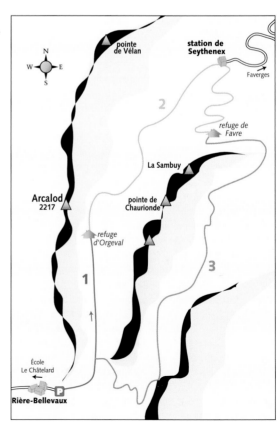

Coucher de soleil
sur le lac d'Annecy
depuis le refuge
de la Tournette.

TOUR DU LAC D'ANNECY (5 JOURS)

- **DÉPART** et arrivée : les Marquisats, au bord du lac rive ouest.
- **ACCÈS** : Annecy, à la sortie de la ville en direction de Sévrier.
- **NIVEAU** : bon marcheur, pas de difficultés techniques.
- **CARTES** : IGN Top 25 3431 OT Annecy.
- Il est possible de faire ce parcours accompagné d'un guide.
  Se renseigner à Takamaka, 17 faubourg Sainte-Claire à
  Annecy. Tél. : 04 50 45 60 61.

Ce circuit est balisé en rouge et jaune (GR de pays).
Certaines étapes sont communes au GR 96 balisé en rouge
et blanc. Il n'est pas nécessaire d'emporter à manger pour
les cinq jours car l'itinéraire ne passe jamais loin de villages.

LE CIRCUIT ET SES DIFFÉRENTS HÉBERGEMENTS

- **1er jour** : les Marquisats - Semnoz - refuge du Semnoz
(04 50 52 50 18) ou hôtel du Semnoz (04 50 01 23 17)
ou hôtel des Rochers Blancs (04 50 01 23 60)
- **2e jour** : col de Leschaux - chapelle Saint-Maurice - gîte
"Roc des Bœufs" à Mont-Devant (04 79 63 33 43)
- **3e jour** : col de la Frasse - Lathuille - Verthier - col de la
Forclaz - refuge du Chamois (04 50 60 72 38) ou hôtel
Edelweiss (04 50 60 70 24) ou hôtel La Savoyarde
(04 50 60 72 11)
- **4e jour** : la Rochette - chalet de l'Aulp - col de Bluffy -
auberge des Dents de Lanfon (04 50 02 82 51)
- **5e jour** : col des Contrebandiers - mont Veyrier - le Petit
Port - les Marquisats

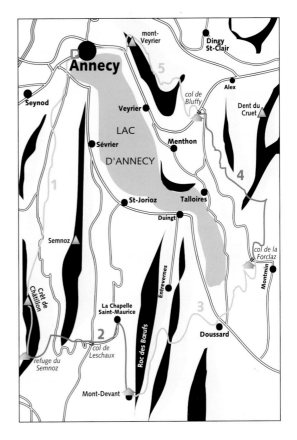

Dans la montée à la Tournette, vue sur le lac et le chalet de l'Aulp.

TOURNETTE - ARAVIS

- **DÉPART** : route forestière après le cimetière de Morette
(arrivée sur la D 216 en face du cimetière de Morette).
- **ACCÈS** : depuis Annecy, prendre Veyrier du lac puis suivre la
D 909 direction Thônes, jusqu'au cimetière de Morette.
- **NIVEAU** : demande un bon entraînement. Pas de difficultés
techniques.
- **CARTES** : IGN Top 25 3431 OT (Annecy, 3430 ET (La Clusaz
Grand Bornand) et 3531 OT (Megève col des Aravis).
- Il est possible de faire ce circuit avec un guide. Se renseigner
au bureau des guides de Thônes, 04 50 02 01 33. ouvert tous
les jours de 16 h à 19 h sauf dimanche (18 h-19 h).

Il est possible de raccourcir certaines étapes un peu
longues (en particulier celle du troisième jour) car de
nombreux lieux d'hébergement jalonnent le circuit.
L'essentiel est de bien réserver les refuges à l'avance.
L'itinéraire passe près de sommets intéressants comme
par exemple le Charvin et la pointe Percée, les deux
bastions marquant le début et la fin de la chaîne des
Aravis. Il est possible de les faire dans la foulée (la pointe
Percée peut se faire depuis le refuge) ou l'on peut prévoir
une journée supplémentaire pour les faire tranquillement.

Le balisage "Tournette Aravis" est jaune et rouge sauf
entre Talamarche et la Tournette.

Il n'est pas nécessaire d'emmener de quoi manger
pour la semaine car le circuit est jalonné de chalets
d'alpages et villages où l'on peut se restaurer et faire le
plein d'eau.

LE CIRCUIT ET SES DIFFÉRENTS HÉBERGEMENTS :

- **1er jour** : Morette - gîte d'alpage du Lindion
(04 50 02 95 62) - refuge de Larrieux (04 50 02 19 52)
- **2e jour** : Talamarche - Roc de l'Encrenaz - chalet de l'Aulp -
refuge Blonay-Dufour (04 50 68 98 41)
- **3e jour** : Tournette - pas de Bajulaz - refuge de Praz
d'Zeures (04 50 27 50 10) Montaubert - l'Hermite - La
Combe - col de la Bottaz - Les Pézières - Crêt Vermant
- Les Mouilles - gîte des Fontanettes (04 50 27 52 06)
ou refuge de l'Aulp-de-Marlens (04 50 27 52 82) ou
ferme du col du Freu (04 50 02 82 59). Possibilité de
couper cette longue étape en deux en dormant à Praz
d'Zeures.
- **4e jour** : pointe d'Orsière - Comburce - col de Merdassier
- gîte des 4 vents (04 50 02 41 14)
- **5e jour** : Crêt du Merle - Les Confins - refuge de la

Bombardellaz (04 50 02 30 68 ou 04 50 02 32 09) - Le Planay - refuge Gramusset (04 50 02 40 90) (La pointe Percée peut se faire en fin d'après midi ; compter 2 h 30 pour l'aller-retour)

- **6ᵉ jour** : col de l'Oulettaz - Tête des Annes - col des Annes - Clef des Annes - Maroly Aiguille Verte - lac de Lessy et refuge (04 50 25 98 32) (Possibilité de prendre une journée supplémentaire pour monter au Jalouvre ; compter 3 h 30 aller-retour)

- **7ᵉ jour** : col de la Forclaz - chalets de Mayze - La Ville - gîte d'étape Le Mousolan (04 50 03 51 08) - Les Plains - plateau des Glières - gîte de La Mandrolière (04 50 22 45 61) ou refuge chez Régina et Gilles (04 50 22 80 46)

- **8ᵉ jour** : col des Glières - Notre-Dame-des-Neiges - La Rosière - Nant Debout - Morette

Le lac de Lessy et le Jalouvre.

Réalisation : Tifinar (Voreppe-Grenoble)

Gravure : SRG Productions (Meylan)

Achevé d'imprimer en avril 2003 sur les presses de *Grafiche Zanini* à Bologne (Italie)